СОЛОНГО

무지개

上권

작가는 2010년 한국문화예술위원회 제1차 아시아거점 몽골문학레지던스 소설작가로 선정되어, 몽골 울란바타르대학연구교수로 파견, 한국문학과 소설을 강의 했다. 그리고 집필활동으로 몽골문학을 연구하며 몽골암각화를 주제로 글을 써왔다. 13세기부터 21세기까지 망라한 몽골역사바탕의 중단편소설집「사슴 돌」을 펴냈고,지금은 동대학 종신객원교수로 외국인 최초 몽골문학연맹 회원활동과 몽골문학상수상,그리고 몽골문학연맹노조 추천으로 몽골문학연맹 90주년 기념식에서 문학공로훈장을 수훈했다.

몽골 대서사시, 칭기즈 칸의 제국
전설의 암각화

СОЛОНГО

무지개

上권

솔롱고 증보판

김한창 장편소설

몽골문학연맹 90주년, 문학공로훈장수훈 기념작품

바밀리온

프로필

- **소설집**

「접근금지구역」「핑갈의 동굴」 중단편소설집「사슴 돌」 부제/몽골, 13세기부터 21세기까지.

- **장편소설**

「꼬막니」 전주일보연재. 「바밀리온」「솔롱고」 부제/몽골, 칭기즈 칸의 제국, 전설의 암각화를 찾아서. 「무지개」 상,하권 전 2권.

- **평론**

한국과 몽골문학 「한국-몽골 소설선집」
탄탄한 繪畵力으로 조성한 소설담론, 백종선 소설집 「푸른 돛배가 뜬다」
역사의 재조명과 기록의 산물, 박종식 소설집 「부서진 시간의 소각들」
응축된 작가의 문학세계, 박종식 소설집 「녹차 꽃은 떨어지고」

- **수상**

몽골문학상, 몽골문학연맹 90주년 문학공로훈장. 전라북도문화상(미술부문) 전북문학상. 노천명문학상소설본상. 표현문학 평론신인상. KBS 지역대상.

국제활동

한국문화예술위원회 아시아거점 몽골문학 레지던스 소설작가 선정, 몽골 울란바타르대학 연구교수파견, 학과 소설강의와 문학특강 및 집필활동. 한국-몽골 문학교류. 몽골 알탕구르스 국제문학 페스티벌. 몽골문학연맹 회원활동.

역임

MBC 혼불문학상심사위원. 전북도민일보 신춘문예 소설부문심사위원.예원예술대미술디자인학과객원교수. 울란바타르대학 초, 중, 고, 대학부 한국어 문학경진대회 운영위원장.

현재

몽골울란바타르대학 종신객원교수. 한국문협. 몽골문학연맹회원. 한국소설가협회 중앙위원 및 지역발전위원. 한국문협국제교류위원. 표현문학동인. 「한-몽 문학」 발행인.

Email : kumdam2001@ hanmail.net tel : 010 6439 2405

2천 년 전 돌무덤(서사관련지역)

몽골전도
Хөвсгөл
헙스걸
Увс
옵스
Баян-Өлгий
바양얼기
Завхан
쟈브항
Архангай
아르항가이
Ховд
헙드
Баянхонгор
바양헝거르
Говь-Алтай
고바알타이

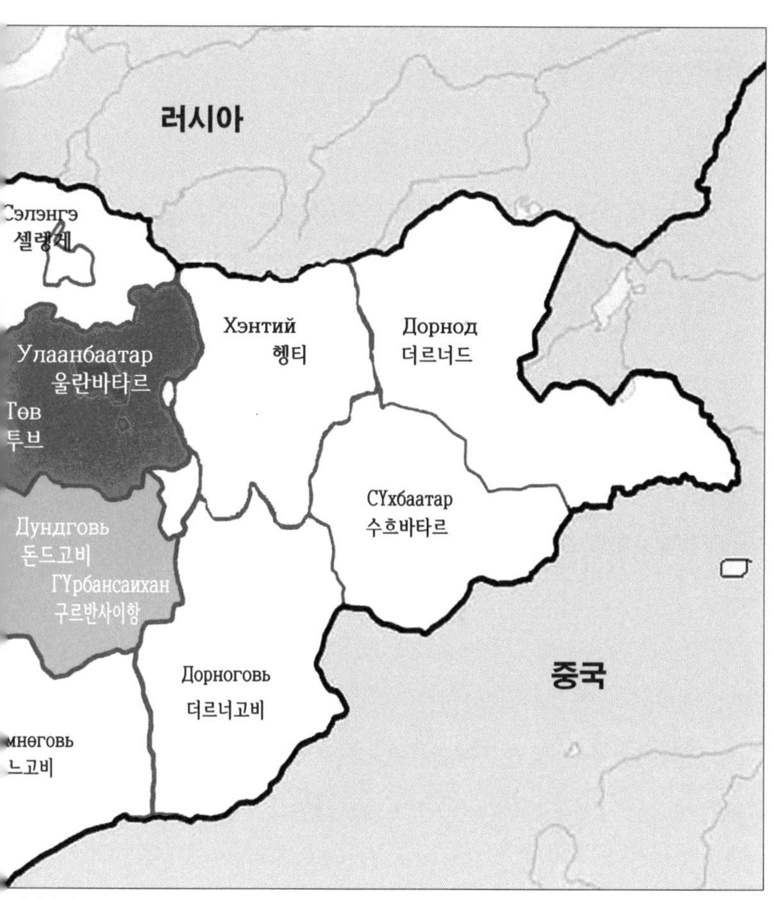

서사관련지역 : 구르반사이항. 돈드고비. 어워르항가이. 아르항가이. 투브아이막. 울란바타르. 볼강아이 막.

작가의 말

『무지개』 상권은, 2010 제1차 한국문화예술위원회 아시아거점 몽골문학레지던스소설작가로 선정되어, 몽골 울란바타르대학 연구교수로 파견재임하면서, 집필활동 끝에 발표한 『솔롱고』(COЛОНОГО/무지개)의 표제를 한국어 『무지개』로 바꾸고 내용을 대폭 수정한 증보판이다. 이후 필자는 동대학 종신객원교수와 몽골문학연맹회원활동을 하면서 10년 동안 몽골을 오가며 『무지개』下권까지 집필을 마쳤다.

소설가 이전 전업화가로 필자는 인류미술의 발상지로 여기는 몽골암각화에 관심을 가져왔고, 화가의 눈으로 몽골바위그림의 회화성(會畵性)을 연구했다. 본 글은 몽골 15개 부족 중 79%를 차지하는 할하부족들이 차하르부족과 300년의 긴 세월동안 전쟁을 하면서 가문의 대를 이어가며 구르반사이항 아르갈리산양동굴에 암각화를 새겼다는 할하부족 족장 후손집안에 전해오는 전설의 암각화를 추적 발굴하는 과정을 그린 내용이다.

하므로 이 글은 피상적인 몽골에 대한 작은 기억의 단편이 아니다.

上권에서 下권까지 집필을 마칠 때까지 솥단지를 몽골 땅에 걸어놓고, 10개 아이막 초원에 노출된 암각화탐사와, 글을 통해 선사시대부터 14세기까지 전반적인 생활문화와 역사, 그리고 칭기즈 칸 몽골통일전쟁사까지 망라하여 이미지화했다. 그리고 **몽골문학연맹노조추천**으로 몽골문학연맹90주년에(2019.)에〈**문학공로훈장**〉을 수여받고 이를 기념하여 上 · 下권으로 묶어 내놓았다.

차 례

■ 제 2 부

흑화의 땅에 핀 꽃

프롤로그/prologue

표제가 말하는 『무지개』의 뜻은 몽골어로 솔롱고라는 뜻이다. 키릴자모 원발음은 설렁거(солонго)지만 어(О)를 영문 오로 발음하면서 명사가 되었다. 그래서 한국을 지칭하는 원발음 설렁거스를 솔롱고스(солонгос)로 지칭하기도 한다. 몽골부족은 15개 부족으로 이루어져있다. 이중 할하부족이 약 79%를 차지하고 있으며 몽골민족의 근본적인 특징을 지니고 있다. 선사시대부터 반사막대지 구르반사이항에서 대가족을 이루고 살아온 할하부족은 차하르부족과 300년 동안 전쟁을 치루며 공존해왔다. 본 이야기는 대를 이어 할하의 부족장을 지낸 한 가문의 기록적인 전설의 동굴암각화를 주제로 하고있다.

1. 무지개 상권에서, 몽골고대 바위그림에 관심 깊은 한국남 그는 몽골울란바타르대학연구교수로 부임한다. 그는 암각화연구와 거기에 얽힌 이야기를 찾고자 자신의 프로그램에 필요한 코디네이터로, 다섯명의 응모자 중 조상들이 대를 이어 할하부족 족장을 지낸 후손으로, 고대 할하부족의 영토, 구르반사이항 아르갈리산양서식처 동굴 바위에 그 조상들이 그림을 새겨놓았다는 가문의 전설을 지닌 대학원 졸업생 엥흐자르갈이라는 이름의 여성을 택한다.

2. 유목민가정의 딸로 부친을 모르고 자란 그녀는 어머니와 조부에게 들어온 조상들의 역사를 학술적으로 조명하고자 몽골역사학을 전공했다. 그녀는 그가 연구하는 고대 바위그림군락지 안내와 가문의 전설로 전해온 구르반사이항 전설의 동굴바위그림을 찾는데 조력하게 된다.

3. 처음부터 그에게 향심이 일어난 그녀는 사랑을 고백하고, 그녀의 조부는 그녀가 남자를 맞이하여 목축재산을 상속받아 가문을 이어갈 아들하나 둘 생각은 하지 않고, 도시로 나가 공부만하는 것을 못마땅하게 여기지만, 그와의 깊은 사랑 끝에 그로부터 씨앗을 받는다.

4. 그녀 가문의 동굴 바위그림을 끝내 찾지못하고 연구교수임기를 마친 그는 한국으로 돌아오고, 이듬해 그녀는 그의 아들을 낳아 솔롱고(무지개)라 이름 짓고 이를 그에게 알린다.

〈이글은 소설로만 읽혀지기를 바란다.〉

제 1 부

13세기 몽골평원

1

약탈전쟁

해발 1,750m, 산맥골짜기로 흐르는 강물도 얼어붙은 눈 덮인 고비의 적막한 밤이다. 영하 42도의 바람한 점 없는 설원에 무수한 별들이 쏟아져 내리고, 자작나무우리의 양떼와 몽골전통가옥 게르[1])주변 말떼들도 깊은 잠 속에 빠져있다.'부르르-' 때로는 낙타와 말들의 투레질소리가 들린다.

천창환풍구로 솟구친 연통으로 한줄기 연기가 검은 하늘로 피어오르고, 핏물 머금은 양고기가닥이 두 기둥사이 철삿줄에 걸려있다.

갓난아기가 엄마의 젖꼭지를 입에 물기도 전에 흘러나온 젖 빛깔처럼 하얀, 토륵[2])에 올려진 솥에서 끓는 수태채[3])에 소매를 걷어 올린 엥흐자르갈이 차 잎을 한주먹 뿌려 넣고 주걱으로 젓는다.

---

1) 게르/гэр : 둥근 첨막형의 전통가옥.

2) 토륵/Тулга : 무쇠난로.

3) 수태채/сYYтэйчай : 우유에 차 잎을 함께 우린 우유차.

족히 오일정도는 온 가족이 마실 수 있는 양이다.

토륵의 불길을 물끄러미 바라보던 주름 깊은 갈색 얼굴, 평생 유목에 종사한 엥흐자르갈의 조부가 마디가 짧은 곰방대에 가축몰이에 거칠어진 손으로 담뱃가루를 넣고 엄지로 꾹꾹누르고, 불을 붙이고 길게 들이마시며 연기를 내뿜는다. 90을 바라보는 나이지만 자그만 키에 기상이 있고 매서운 눈빛과 꼿꼿한 자세는 몽골귀족후손다운 풍모다.

울란바타르 도시생활에 익숙한 매혹적인 까만 머루눈동자 엥흐자르갈, 그녀는 몽골미인의 전형이다. 역시 조부와 버금가는 의연한 자세와 풍모를 지녔다. 조부와 그를 번갈아 바라보며 뜨겁게 끓는 수태채를 주걱으로 젓던 그녀는, 수태채 속에 떠 있는 차 잎을 걸러내고 판자뚜껑을 덮은 솥단지를 찬장 옆에 내려놓고, 조부의 입이 떨어지기를 기다린다.

그렇다. 엥흐자르갈은 오늘이 있기를 기다려왔다. 그러나 조부는 그녀가 원하는 조상이야기를 단 한마디도 해주지 않았다. 묻고 또 물어도 긴 세월 동안 묵묵부답으로 일관해온 것은, 집안의 목축을 상속받을 수 없는 여자라는 단 하나의 이유로, 여자는 알필요가 없다며 그녀를 터부시 해왔다.

그녀는 자라면서 집안전설을 모친에게 대략 들었지만 그것으로 족하지 못했다. 뒤늦게 학업에 뛰어들어 다층적인 몽골민속문화와 몽골역사학을 전공한 것은 불확실한 가계의 전설을 학문을 바탕으로 정립시키고 싶었기 때문이다.

몽골의 파란 많은 역사의 소용돌이를 거쳐온 그녀의 조부는 자신의 손녀 엥흐자르갈과 그가 요구하는 잊고 지내온 가계의 전설을 생각하면서 회상에 빠져들었다.

그녀의 찬란했던 선조들의 역사는 조부의 가슴속에만 존재해온 전설이다. 버터에 심지를 세운 놋쇠호롱의 희미한 불빛에 세 사람의 그림자가 어른거린다.

'딱, 딱, 딱.'

그녀의 조부가 곰방대 재를 터느라 푸른 녹이 슨 놋쇠재떨이 때리는 소리가 적막을 깼다. 엥흐자르갈이 지녀온 돌그림이 탁본된 양피지를 조부 앞 탁자에 펼치며 자리에 앉았다. 뜨거웠던 난로의 불길이 사그라들자 금방 고비의 냉기가 스며든다. 한기를 느낀 엥흐자르갈이 마른 말똥덩어리를 난로에 가득 채웠다.

다시 온도가 다시 오르기 시작했다. 조부가 비로소 말문을 열었다.

“아르갈리산양동굴암벽에 그림을 새겼다는 척트타이츠 조상의 전설을 말하자면 우리 할하부족과 내몽골 차하르부족 이야기를 말하지 않을 수 없네.”

이렇게 운을 뗀 조부는 엥흐자르갈과 그를 번갈아 바라본 뒤 아득한 옛날의 전설을 더듬기라도 하는 것처럼 지그시 눈을 감고 엥흐자르갈과 그가 그처럼 듣고자 하는 소중한 조상이야기를 꺼내기 시작했다.

*

황량한 고비에 초록이 물드는 축복의 계절, 뜨거운 태양이 자취를 감추면 기온은 영하로 내려가고 순식간에 어둠이 닥친다. 밤하늘은 무수한 별빛이 쏟아져 내리고 눈처럼 하얀 게르는 찬란한 별 사이로 떠 흐르는 착시를 일으킨다.

세찬 바람으로 허공으로 몰려가는 모래알에 맑은 별빛이 반사되면, 때로는 오로라처럼 아름다운 환상의 하늘이 되고, 신비하게 들려오는 모래알 부딪치는 소리는 반사막 고비가 아니면 들을 수 없다. 모래가 노래하는 소리다.

초원바다의 섬 같은 바위능선자락에 차하르부족 병사들

매복을 했다. 바람과 모래와 극심한 어둠 속에 그들이 매복을 하고 있는 것은, 이동을 앞 둔 할하부족 유목민들을 약탈하기 위해서다.

차하르부족의 빈번한 약탈은 300년 동안 할하부족과의 전쟁빌미가 되었다. 두 부족은 평화롭게 공존하기도 했지만 종족보존이 어렵게 되면 타 부족 여자를 약탈하는 일이 빈번했다. 심지어 한 여자를 두고 집단으로 인척관계를 맺으면 아버지가 누군지 모를 얽히고설킨 가계가 만들어졌고, 그들의 평화는 언제라도 깨질 수 있는 소지를 늘 안고 있었다. 종족보존이 어려운 이러한 환경에서 여자약탈은 초원의 불문법이기도 했다.

역사의 아이러니인지 장구한 세월이 흐른 지금, 차하르부족은 자신들의 영토에서 할하부족과 공존하지 못했다. 중국 령 내몽골에서 삶을 유지하고 있다. 그러나 그들은 영웅 칭기즈 칸의 후예라는 긍지만큼은 가슴속에 이글거렸다. 또 그들은 전통적으로 이어온 7월에 열리는 범 몽골의 국가적 축제, 나담[4])을 기억에서 지우지 못하고 중국 령 내몽골 땅에서 '싸이마제'라는 이름으로 지금도 지켜오고 있다.

---

4) 나담/наадам : 부족국가 시대부터 이어오는 몽골 전통축제.

8월이면 그들은 자치정부가 있는 내몽골 튱라오의 대초원에서 전통의상을 입고 남성 3종경기 활쏘기와 말달리기, 그리고 씨름을 하며 칭기즈 칸을 회상하며 향수를 달랜다. 그러나 정작 행사장중심부 높다란 깃봉에는 몽골의 자유와 독립을 상징하는 황금색 소욤보 국기가 아닌, 중화인민공화국인민기가 펄럭인다. 그것은 그들의 아픔을 대변하는 상징물이 되고 있다.

고비의 긴 겨울이 지나 돌산에 풀이 솟을 때가 오면, 봄철 가축들은 때를 맞춰 배를 불리고, 유목민들은 어워에 풍요를 기원하는 제의를 올리고 초록으로 물든 대지의 영지(營地)를 찾아 유목길을 떠난다. 모래알이 뺨을 후리고 흙먼지가 험악하게 시야를 가리는 가장 어려운 봄철, 고비의 밤은 약탈을 감행할 수 있는 절호의 찬스가 된다.

모래알이 맞부딪치는 윙윙거리는 소리가 검은 대지를 울린다. 칠흑 같은 어둠에 묻혀있던 차하르 부족군사들이 소리없이 움직인다. 좌 · 우로 말머리를 흔들며 눈 코로 들어오는 모랫바람을 피하던 말한 마리가, 견디다 못해 '부르르-' 두레질을 하면 다른 말들도 덩달아 머리를 흔들며 일시에 투레질소리를 낸다.

투레질소리로 적에게 발각될까 놀란 차하르부족 군사들은 얼른 말 주둥이에 홀다스를 채워 투레질을 막았다. 다행히 할하브족 군영은 멀리 있었다.

때가 되자, 그들은 할하부족 게르 촌으로 잠입했다. 할하부족 유목민들이 몰려있는 게르를 중심으로 바람막이로 소똥을 이겨 바른 나무 벽과, 자작나무우리에 낙타와 양떼들이 몰려있다. 그들의 목표는 낙타와 처녀약탈이다.

낙타는 많은 젖을 짤 수 있고, 60일 동안 먹지 않고도 살 수 있는 추위를 잘 견디는 동물로 낙타 젖은 돌림병 약으로 긴요하게 쓰였다. 낙타우리 문이 열렸다. 낙타떼를 경계 어워 능선아래로 이동시킬 때까지 할하부족들은 눈치채지 못했다. 깊은 잠속에 빠져있기 때문이다. 더구나 게르는 두터운 양털에스기를 여러겹 둘렀기 때문에 소리를 차단했다. 끊임없이 모래알이 게르 외벽을 때리는 둔탁한 소리에 사람목숨하나가 떨어져나가도 눈치챌 수가 없다.

한 무리가 낙타떼를 몰고 안전지역으로 이동하자 중간지점에서 또 한 무리가 서너 차례 불화살을 쏘아 올렸다. 허공 높이 모래바람에 휩쓸려 나르는 불화살을 본 또 다른 차하르 부족군사들이 순식간에 번개처럼 게르촌을 습격했다.

그들은 게르촌 이곳 저곳에서 비명을 지르는 어린처녀들을 말 잔등에 올려 태우고 쏜살같이 모래바람 속으로 도주했다.

처녀들의 숨 가쁜 비명소리를 들은 경계군영의 장군 덤버르마와 장졸들은, 불시의 사태를 인지하고 화들짝 일어나 활을 차고 말을 몰아, 경계어워를 넘어 초원을 질주하는 차하르 부족군사들을 추격했지만, 도주방향을 알 수 없었다. 더구나 잠결에 제대로 군장도 갖추지 못한 할하부족들의 추격은 애초부터 불가능했다.

비를 뿌릴 듯 구름이 흐르지만 정작 비는 오지 않는 땅, 새순이라고는 솟아날 기미조차 보이지 않는 메마르고 척박한 구르반사이항은 할하부족의 땅이다. 바람이 만들어낸 황량한 바위산이 솟아있는 그곳은 끊임없이 불어오는 거센 모랫바람이 대지의 모든 생명을 말려버렸다.

그들은 바람과 모래 속에서 살았다. 그것은 유목민의 삶이었다. 그러나 혹독한 환경과 시련은 고비유목민들을 강인하게 만들었다.

척박한 돌산에 풀이 솟는 곳, 한정된 곳에만 초지가 자라나는 곳, 흙과 모래가 섞인 반사막고비에서 그래도 대지에 초록이 물든 물터를 중심으로 그들은 게르를 세우고 낙타를 기르며 양을 쳤다. 돌산너머로 솟아오른 붉은 태양이 대지를 비출 무렵, 파견군영 덤버르마 장군과 그의 수하들이 본대로 화급히 달려와 족장에게 고했다.

"차하르 부족군사들이 낙타와 처녀들을 약탈해갔습니다."

"뭐라고? 낙타와 처녀들을? 당장, 전쟁을 알리는 깃발을 올려라. 내 이번에는 적장의 목을 베고 말리라."

군영의 평화를 알리는 검고 하얀 수호기 톡그[5])가 바람결에 날리고, 전쟁을 알리는 검은 깃발이 거친 모랫바람에 펄럭였다. 일순 고비에 전운이 감돈다.

"고비의 모든 유목민병사들은 차하르부족을 뒤쫓아 낙타와 처녀들을 되찾아올 것이다."

분노한 척트 족장이 명령했다. 그의 아들 뭉흐토야 장군이 군을 지휘했다. 그는 군장게르에서 활과 부친 척트가 아끼는 창과 반달 강철 검을 챙기고 자신도 무장했다. 말안장을 꺼내어 말 등에 올렸고 말등자도 점검했다.

---

5)톡그/Tyr : 종마의 갈기나 꼬리털로 만든 기(旗)로 흉노시대부터 국가의 수호기로 만들어 사용해왔다. 아홉개의 깃대를가진 수호기는 국가의 신성함과 번영과 성장을 상징한다.

전령을 받은 유목민병사들이 고비전역에서 모여든 것은 정오가 되어서다. 스산하게 전운이 감도는 고비의 거친 바람 속에 맞부딪치는 모래알이 바람결에 날린다. 몽골유목민의 활솜씨는 이러한 환경과 생활 속에 젖어있다. 전장에서 불화살은 적을 향해 쏠 때는 공격신호며 반대방향으로 쏠 때는 후퇴신호다.

몽골아이들은 걷기 시작하자마자 활을 만들어 화살을 쏘며 자랐다. 또 염소에 올라타고 활을 쏘아 쥐를 잡기도 했다. 이런 놀이를 통해 움직이는 적을 활로 쏠 수 있는 기술을 익히며 자랐다. 사냥은 즐기기 위해서도 하지만 전투훈련의 목적 또한 가지고 있다. 그들은 늑대를 신성시하기도 하지만 자신들의 가축을 습격하는 적으로 간주될 때 여지없이 활만으로도 늑대무리를 토벌했다.

반사막고비를 지키는 할하부족 족장 척트는, 남다른 거구와 장대한 기골에 강한 의협심을 가진 용맹한 전사였다. 크고 작은 모든 일에 유목민들은 그의 결정에 따라 움직였다. 할하부족과 차하르부족은 늘 적대적이었다. 가축과 처녀약탈, 그들은 서로의 경계 어워를 무너뜨리고 빈번한 침략행위를 지속해왔다.

두 부족은 그렇게 살아왔고. 이번에는 차하르부족 족장 밤바수흐가 고비의 할하부족 유목민들이 봄철이동을 앞둔 어수선한 싯점을 기회로 약탈을 감행했다. 척트는 명령을 내렸다. 차하르부족들이 퉁라오군영까지 도망치기까지는 멀고먼 장도다.

“출정한다. 밤이 되면 차하르부족 영토 깊숙이 이를 것이다. 적장은 다른 목초지를 돌아 퉁라오군영으로 갈 것이다. 며칠이 걸려도 낙타와 처녀들을 구하고 적장의 목을 베어 300년 동안의 전쟁을 끝내리라.”

“와-아.”

군장을 갖춘 유목민병사들이 분노의 함성을 질렀다. 모랫바람소리와 장졸들의 말등자 스치는 소리가 불협화음으로 뒤섞여 바람에 날린다.

“불화살을 준비하고 충분한 말지뢰를 가져가라.”

말지뢰는 어떻게 던져도 뾰쪽하고 날카로운 곳이 솟아올라 말발굽에 밟히면 여지없이 말이 고꾸라지는 단단한 동물 뼈를 깎아 만든 일종의 무기다. 칭기즈 칸은 말지뢰를 철기로 만들어 전장에서 유용한 무기로 사용했다. 대지의 모래바람 속에 모래알 부딪치는 소리와 말달리는 소리와,

장졸들의 함성이 건조한 대지를 울린다.

척트족장의 아내 촐로앙이 그들이 달려간 방향으로 수테채를 뿌리며 무사귀환을 기원했다. 척트 족장과 장손 뭉흐토야가 먼 길을 떠나거나 유목민병사를 이끌고 전장터에 나가면, 촐로앙은 언제나 양의 젖을 짰다. 새로운 젖을 응고시켜 정성스럽게 깨끗한 샤르터스를 만들었다. 그리고 가업을 이어받고 있는 막내아들 엥흐아랄과 어워에 샤르터스를 공물을 올리고, 텡게르[6] 신과 산신에게 용사들이 무사히 돌아오를 기원했다.

첨병을 이끌고 앞서 달려간 뭉흐토야가 먼지를 일으키며 달려와 척트 족장에게 고했다.

"아직 마르지 않은 낙타똥이 여러 곳에서 발견되었습니다. 퉁랴오 동남쪽으로 향하다가 남쪽방향으로 낙타똥이 떨어져 있습니다."

말에서 내린 뭉흐토야 장군이 말채찍막대로 모래 섞인 바닥에 도주방향을 그어가며 말했다. 그러자 척트족장이 먼 시야를 응시하며 말했다.

"낙타똥 빛깔이 어떻더냐?"

"새까맣습니다."

---

6) 텡게르/тэнгэр : 하늘

“그러면 말머리를 돌려라. 낙타에게 뭇매를 가해 생똥을 싸게 만들어 도주방향을 반대쪽으로 속인 거야. 첨병을 서쪽방향으로 돌려서 퉁랴오로 추격하라.”

낙타떼가 남긴 똥은 차하르부족의 도주경로를 말해준다. 차하르부족의 약탈자, 적장 밤바수흐를 잡는 데는 추적을 시작한 지 이틀 밤이 지난 자정 무렵이었다.

아니나 다를까. 예상한 방향의 지역에서 적들은 숙영지를 세우고 호흡을 가다듬고 있었다. 내몽골 가장 깊숙한 곳, 자신의 군영을 코앞에 둔 초원이었으므로 밤바수흐는 비로소 안심하고 있었다. 초병의 경계도 느슨해져 있었다. 척박한 고비 구르반사이항과는 다른 천혜의 자연환경인 초원의 밤은 고요했다. 검은 능선에 척트의 병사들이 소리 없이 동서로 갈라져 적진군영을 내려다보고 있다.

호흡이 멈출 정도로 긴장된 작전이 개시된다. 적진군영 중앙에 가장 큰 깃발이 펄럭였다. 줄줄이 연결된 낙타떼들이 군영남쪽에 매어있고 처녀들이 감금된 게르가 군영중심에 있었다. 나머지 장졸들의 군영이 적장 게르를 에워싸고 있었다. 척트는 바람이 세차게 불어오는 새벽을 기다렸다. 밤이 깊어가고 자정이 넘어가면서 바람속도가 빨라지기 시작했다.

"첨병들은 소리없이 적군진영으로 침투하여 초병들의 목을 따고 불화살을 쏘아 올려라. 그리고 처녀들을 먼저 구하고 묶여있는 낙타들을 내보낸 뒤 두 번째 불화살을 신호로 장졸게르를 일시에 공격하라. 나는 적장의 목을 베리라."

명령을받은 뭉흐토야 장군이 첨병을 이끌고 검은 그림자로 적진군영으로 침투했다. 별빛에 반짝이는 칼날이 초병들의 목을 날린다. 척트 족장이 우군장군 테르몽과 자신의 심복 덤버르마 장군에게 명령을 내렸다.

"테르몽 장군은 신호를 받으면 일시에 불화살을 쏘아 군영을 불태우고 떼화살을 퍼부어라. 덤버르마 장군은 병력을 2조로 나누어 양편에서 공격하고 낙타와 처녀들을 호위하라. 함성을 질러서는 안 된다."

"알겠습니다."

장군들이 한 팔을 올리며 빠르게 움직였다. 초병들의 목숨 잘리는 긴장의 시간이 흐르고 한참 만에 불화살이 검은 하늘로 치솟아 올랐다. 그러자 장졸들이 쏘아올린 수많은 떼화살이 군영으로 날아 들었다. 군영들이 불타오른다.

순식간의 역습에 튀어나온 적군들의 가슴에 여지없이 떼

화살이 꽂혔다. 그러자 명령을 받은 군사들이 양편에서 일시에 공격했다. 이어 처녀들이 감금된 게르 문이 열리고, 첨병에게 이끌려 군영을 모두 빠져나갔다.

뭉흐토야 장군이 적장게르의 문을 박차고 들어갔다. 자신의 군영을 코앞에 두고 마음놓고 잔뜩 마신 술기운에 잠들었던 적장 밤바수흐가 함성도 없는 심상치 않은 야습에 눈을 번쩍 떴다. 그러나 이미 뭉흐토야 장군의 반달칼 끝이 자신의 목을 겨누고 있었다.

"군장을 갖추고 검을 들어라. 군장을 갖추지 않은 적의 목을 베는 것은 용납되지 않는다."

척트 족장의 피를 이어받은 뭉흐토야 역시 용맹한 장군이다. 그는 적장의 목을 베어 자신의 용맹을 아버지와 고비군사들에게 보여주고 싶었다. 그가 반달 검을 내리며 한 발 물러서주는 찰나 밤바수흐는 재빠른 동작으로 침소에 숨겨둔 호신용 칼끝을 잡고 뭉흐토야 장군을 향해 던지려는 찰라, 열린 게르 문 밖에서 바람을 가르며 날아든 척트 족장이 던진 무쇠 창이 적장가슴을 관통하고 게르 벽을 뚫었다.

"윽."

선혈을 토하는 밤바수흐는 독기서린 눈빛을 척트에게 던지며, 퉁랴오의 수령답지 않게 군장도 갖추지 못한 몸으로 창대를 휘어잡고 쓰러졌다. 척트가 아들에게 일성으로 나무랐다.

"한순간도 방심하면 목숨이 위태롭다. 적장의 칼끝이 네 가슴을 꿰뚫을 뻔하지 않았느냐."

"……."

"자, 저놈의 목을 베어라. 그리고 창끝에 꽂아라. 적장의 목을 앞세우고 퉁라오군영을 이참에 아주 초토화를 시키고 말리라."

뭉흐토야 장군이 목을 내리치려는 순간 선혈이 낭자한 밤바수흐가 힘겨운 목소리로 겨우 입을 열었다.

"척트, 내가 약탈해온 자네의 여동생 투고스빌렉은 나의 세 번째 아내였네. 갓 태어난 핏덩이를 안고 도망치다가 내 손에 죽었지만…… 퉁랴오 군영 젊은 벌버장군은 그 아들일세, 벌버의 목숨만은……."

말을 이어가지 못하고 그는 고개를 푹 떨구었다. 하지만 척트 족장은 뭉흐토야의 검을 빼앗아 적장의 목을 치려다가, 동생 투고스빌렉의 아들 벌버 장군을 의식하며 잠시 멈추었지만 이내 휘둘러버렸다.

잘린 목이 침상아래로 떨어져 구르고 흩뿌려진 붉은 피가 게르 벽을 타고 주루룩 흘러내렸다.

검은 깃발 속에 밤바수흐의 목을 앞세우고 할하부족 군사들은 튱라오 군영으로을 노도와 같은 기세로 공격했다. 차하르 부족군영은 척트의 여동생 투고스빌렉의 아들 젊은 벌버장군이 반달 검을 휘두르며 자신의 병사들을 지휘하고 있었다. 용맹한 그의 기세는 가히 대대로 이어오는 척트가문의 기상과도 같았다. 먼 빛으로 그를 바라보던 척트 족장이 아들에게 명령했다.

"좌군 장군은 벌버를 죽이지 말고 생포하라."

명령을 받은 뭉흐토야가 창을 들고 닥쳐오는 장졸들의 목을 쳐가며 벌버를 향해 세차게 군마를 몰았다. 폭풍 속 과일 떨어져나가듯 차하르 부족장졸들의 잘린 목이 피를 튕기며 사방으로 나뒹굴었다.

뭉흐토야 장군과 벌버장군이 맞섰다. 벌버는 차하르부족이지만 뭉흐토야와는 이종형제다. 그러나 그는 자신의 모친이 할하부족이었다는 것을 모르고 있다. 그가 태어나면서 모친의 목숨을 부친 범버수흐가 거두었기 때문이다. 운명적으로 그들이 휘두르는 칼날이 떠오르는 아침햇살에 번뜩였다.

뭉흐토야의 목을 베야 하는 벌버와, 그를 생포하려는 뭉흐토야와의 사투에서 당장 생존의 위협을 받는 벌버의 칼날은 더욱 거세다. 그렇게 휘두르는 칼날의 척도가 다르지만, 검은 깃발 끝에 꽂인 아버지의 목을 본 벌버의 이면에 인간적 공포가 자신도 모르는 위축으로 다가올 수밖에 없었다.

아뿔사, 그러나 칼날이 맞부딪치며 서로 몸을 돌렸을 때, 뭉흐토야 투구의 잘려나간 가죽 끈이 벌버의 칼끝에 매달려있었다. 간발의 차이로 벌버의 칼끝이 뭉흐토야의 목을 스쳐간 것이다.

군영은 차하르 부족장졸들의 시체들이 널브러져 있었다. 할하 부족장졸들이 정리하는 전장 터에 적진군영의 깃발이 내려지고 할하부족 깃발이 바람에 펄럭였다. 끝까지 자신의 목숨을 지키려고 발버둥치는 벌버장군과 그를 생포하려는 뭉흐토야 장군의 칼날이 맞부딪치는 소리만 허공을 날카롭게 갈랐다. 벌버장군의 칼끝에 매달린 뭉흐토야 장군의 투구 끈을 본 우군장군 테르몽이 족장에게 말했다.

"좌군 장군의 투구 끈이 잘려나갔습니다."

"걱정할 것 없다. 벌버가 휘두르는 칼 선은 처음부터 일정하지 않다. 공포에 질려있는 거야. 걱정하지 말고 전리품을 거두도록 명령을 내려라."

척트 족장은 벌버가 자신의 목이 달아날지언정 끝내 항복을 하지 않을 것이라는 걸 알고 있었다. 왜냐면, 그는 할하부족적인 강한 근기를 가진 여동생의 아들이기 때문이다.

한편에서 전리품들이 낙타에 실리는데 칼날에 바람 잘리는 소리가 세차게 휘돌아 들리면서 뭉흐토야 장군의 칼끝이 넘어진 벌버장군의 목을 겨누었다. 자신의 손끝에서 튀어나간 검을 잡으려고 팔을 위로 뻗었다. 그러자 뭉흐토야가 바짝 다가서며 벌버의 목에 검을 바짝 디밀었다.

"생포하라."

척트 족장이 소리쳤다. 적장의 아들이지만 하나밖에 없는 여동생의 아들을 결코 죽일 수 없었다. 그를 생포하여 고비로 데려가 진정한 할하부족으로 만들고 싶었다.

약탈은 그렇게 얽히고설킨 가계를 구성했다. 그러나 뭉흐토야 장군이 벌버장군의 목에서 칼을 거두며 돌아서는 순간 바람을 가르며 순식간에 날아든 화살이 벌버의 두터운 갑옷을 뚫고 어깨에 박혔다. 자신의 검 끝에 손을 뻗었던 벌버장군이 재빠르게 검을 잡고 뭉흐토야의 등 뒤에 던지려는 바로 그 찰라였다.

비명소리를 듣고 뭉흐토야가 몸을 돌렸다. 검을 내려 쥐고 멍한 시선으로 군영진을 바라보고 서 있는 그에게 아버지 척트 족장이 내지른 일성이 피비린내가 진동하는 군영을 울렸다.

"한순간도 방심하면 목숨이 위태롭다고 하지 않았더냐. 다 이긴 전쟁에 네 목이 달아날 뻔하지 않았느냐. 벌버는 네 동생이다. 어깨에 박힌 화살을 빼주고 고비로 데려가라."

두 부족의 약탈전쟁은 이렇게 막을 내렸다. 이때가 13세기 말이다.

척박하고 메마른 반사막지대로 돌이 많은 섬 고비 구르반사이항, 석기시대부터 사냥과 목축으로 유목민들이 드문드문 살기 시작한 곳으로 고비군영이 필요할 정도로 많은 유목민이 모여 산 곳으로 목축이 가능했다.

조상대대로 이어진 두 부족의 크고 작은 전쟁은 그렇게 끝났다. 할하부족 군영에 평화를 상징하는 수호기 톡그가 다시 펄럭였다. 고비유목민들은 평화로운 생활을 시작했다.

여기까지 이야기를 끝낸 조부앞에 놓인 대접에 엥흐자르

갈이 뜨거운 수테채를 따르자 그는 음미하듯 여러번 나누어 마셨다. 그리고 허어륵[7])을 꺼내어 뚜껑을 연 다음 진갈색담배분말을 엄지손에 조금 묻힌 뒤 코로 들이마셨다.

조부가 그에게 코담배병을 건네주자 그것을 받아든 그는 담배분말을 손등에 묻힌 뒤 코로 훅, 들이마셨다. 눈물이 솟을 정도로 강한 담배향이 코끝을 자극했다.

7) 허어륵/Хөөрөг : 미세한 담배라루가 들어있는 코담배 병으로 손님과 서로 주고 받는 데 쓰인다.

2

몽골리아

인류미술의 발상지로 여기는 고대몽골암각화에 얽힌 글을 쓰고자, 석기시대부터 14세기까지 몽골암각화의 회화적(會畵的)연구는 물론, 몽골민족의 기원신화와 세계정복사, 그리고 문자역사까지 몽골을 오기 전부터 그는 깊히 섭렵하였고, 몽골문자의 파란 많은 역사까지도 그는 잘 알고 있었다. 옛 파스파문자부터 페니키아, 위구르, 거란문자를 응용하여 13세기에 코빌라카안이 팍와 승려에게 몽골문자를 만들게 하였지만 성공하지 못한 것, 다시 언드르게겡 잔바자르 승려에게 산스크리트글자를 본따, 소욤보라는 문자를 만들게 하였지만, 어렵고 복잡하여 널리 사용되지 않은 것, 또 1930년대에 잠시 영어알파벳을 차용했고, 1940년 러시아 키릴알파벳 사용을 법으로 정하면서, 1950년 통일공식문자로 사회전체에 통용되기까지 장구한 몽골문자의 변천과정까지 학문을 바탕으로 하는 폭넓은 식견을 그는 갖추고 있었다.

그러나 하나의 틀 속에 쓸어담을 수 없는 무구한 역사의 부침, 그들만의 독특한 예절과 의식(儀式), 현대에 엄존하는 유목민의 전통 등은 그가 쓰고자하는 몽골암각화에 대한 이야기를 어디에서부터 실마리를 풀어나가야 할지, 어느 세기 과거로부터 원하는 영감을 얻어내야 할지, 여러 고민을 안고 그는 몽골에 발을 내디뎠다.

몽골에 대한 연구를 바탕으로 몽골가계사에서 전통은 문자형태로 연결되고 그것은 곧 암각화의 부호로 연결되는 것은 물론, 어느 민족이나 마찬가지로 조상 때부터 전승되어 내려오는 오랜 구비적 전통은, 무엇보다 그 자신이 쓰고자 하는 글에 중요한 실마리를 제공할 것이라고 그는 생각하고 있었다.

그가 이렇게 몽골을 찾은 것은 그해겨울 영하 40도를 오르내리는 가장 추웠던 때로, 그간 탄 기체는 하얀 분말이 흩뿌려진 눈 덮인 대지의 하늘을 선회했다. 버려진 땅 같은 대지, 바람에 쓸린 눈의 흔적, 펼쳐진 한장의 하얀 도화지에 흰 바둑알들이 놓여있는 것처럼, 게르들의 황량한 풍경이 기체의 나선형창밖으로 내려다보였다. 기체가 방향을 돌리며 하강하자 점차 뚜렷하게 내려다보이는 눈밭 속 가옥들과, 도시변방 게르촌의 굴뚝에서 피어오르는 연기에 덮힌 도심, 그리고 끝없는 대지는 전형적인 시베리아겨울을 연상시켰다.

설원복판으로 기우는 태양빛에 반사된 동맥혈관처럼 붉게 흐르는 강줄기는 도시의 식수원천 톨 강이다. 버그드산맥 아래로 흐르는 물길이 다른 곳으로 돌려질까봐, 겨드랑에 바짝 끼고 형성된 도시는 몽골의 수도 울란바타르다. 울란은 붉은색을 말하고 바타르는 영웅을 말한다.
'붉은 영웅'에서 강한 기상을 느낀다. 인민혁명이 달성된 후 혁명영웅 수흐바타르를 기념하여 개칭된 수도명이다. 바람에 쓸린 눈발이 주름무늬를 만든 땅에 기체가 보조날개를 접으며 살포시 내려앉았다. 칭기즈 칸 국제공항이다.

검색을 마친 그는 카터를 밀며 출구로 나왔다. 작은 푯말을 든 울란바타르대학학과장 엥흐촐롱이 조교여학생과 빨간 호르강말가이[1])를 머리에 쓴 한 여성의 팔짱을 끼고 출구로 나오는 여행객들을 응시하며 서 있었다. 킬릴자모대문자로 푯말에 써진 자신의 이름을 본 그는, 먼저 손을 들어 알리고 그들 앞으로 다가가 말했다.
"셈베이노? 울란바타르소르골 엥흐촐롱 박쉬?"

1)호르강말가이/ХурээганМалгай : 새끼양털로 만든 전통모자

(Сайн байна уу UB Их сургууль Багш аа Энхчулун/안녕하세요. UB대학 엥흐촐롱 교수입니까?)

"팀슈, 팀슈, 샘베이노."

(Тийм шYY,Тийм шYY,Сайн байна уу/네, 그래요 안녕하세요)

그들은 반가워했다.

밖으로 나오자 그녀는 자신의 승용차에 그의 트렁크를 받아 싣고 공항을 빠져나왔다. 꽤 넓은 도로를 달려 시가로 접어들면서 그녀가 일행을 가볍게 소개했다.

"교수님을 도울 조교학생과 제, 친구예요."

"아! 반갑습니다."

멋스러운 빨간 호르강말가이의 그녀가 말하는 친구라는 여인은 투명한 까만 머루눈동자가 퍽 인상적이었다. 그는 그녀가 개성있는 몽골전통미인의 모습이라는 생각정도를 가졌다.

해 저무는 울란바타르 도심은 번잡했다. 그가 연구교수로 부임하게 된 지금까지, 학과장 엥흐촐롱과 이메일을 주고받으면서 그녀의 유창한 한국어실력을 그는 이미 알고 있었다. 그녀가 핸들을 돌려 도시중앙으로 진입하며 말했다.

"코디네이터를 뽑아야 할 텐데, 직접 뽑겠다고 해서 일단 미뤄뒀어요. 먼저 코디네이터를 뽑는 것이 좋을 거예요. 하시는 일에 여러 수반을 하려면."

"그러지요. 이번 프로그램에 가능한 시골 유목민가정출신으로 대학원을 졸업한 분이라면 더 좋겠습니다."

"코디네이터문제는 따로 또 말씀드리지요. 오늘은 숙소에서 쉬시고, 연구실안내와 출근안내는 내일아침 조교학생이 해줄 겁니다."

물론 그는 당장 코디네이터가 필요했다. 그가 극구 코디네이터를 직접 선택하려고 한 것은, 가능하면 코디업무에만 집중할 수 있는 유목민가정출신으로 전공이 뚜렷한 사람이 필요했기 때문이다.

다음날 아침, 조교학생이 숙소로 온 것은 09시 30분경으로 쌀 구입을 미처 하지 못한 그는 가져온 패키지누룽지로 대충 때우고 출근준비를 마친 상태로 기다리고 있었다.

혹한에 벌겋게 상기된 얼굴로 나타난 조교학생이 말했다.

"오늘아침 온도가 영하 40도로 내려가고 있어요. 옷을 잘 입으셔야 해요."

그러면서 그의 복장을 꼼꼼히 살폈다.

"되었어요. 신발은 어느 것을 신을 거예요?"

"총장님께 인사도 드려야 하고, 오리엔테이션이 있을지

몰라 안에는 정장을 했는데, 이 신발을 신어야겠지요?”

하고 신발장도어를 열고 밤색단화를 신으려하자 조교학생은 안 된다며 펄펄뛰었다. 그는 다시 커피색가죽운동화를 들어 보였다.

“그것도 안 돼요. 발목이 보이잖아요. 어제 신고 오신 두터운 신발은 어디 뒀죠? 그걸 신어야 하겠어요.”

“그래요? 그건 이쪽에 있는데.”

하고 옷장바닥에 들여놓은 등산화를 보여주자,

“우선은 되었지만 내피가 양털로 누벼진 고탈[2])하나쯤 장만하셔야 하겠어요. 몽골에서는 몸 관리를 잘해야 해요. 마스크와 털모자와 장갑은 어디 있죠?”

“장갑은 여기에…….”

장갑은 세 종류로 출구선반에 모두 놓여 있었다. 그녀는 그 중 가장 두터운 검은 가죽장갑을 집어들고 그걸 끼도록 권유했다. 단순히 옷을 입는 게 아니라 전장터에 출정하는 일종의 중무장이었다.

일단 연구실부터 가기로했다. 노트북가방을 들고 게스트하우스계단을 내려와 밤색도어를 열고 나섰다. 갑자기 냉동실로 들어선 것 같은 차가운 냉기가 얼굴피부틈새로 송

---

2) 고탈гутал : 양털 내피의 목이 긴 신발

곳처럼 파고들었다. 마스크를 하였지만 콧날은 칼날에 찢기는 듯 아렸다. 안경은 단번에 낀 성에로 시야를 방해했다. 기모내복에 여러겹 옷을 껴입고 목을 감싸주는 폴러셔츠와 가디건과, 모직신사복과 모직바지에 종아리까지 감싸주는 롱코트를 입었지만, 기모내복까지 냉기가 뚫고 들어와 피부를 찌를 지경이었다. 하지만 건조한 대기로 그 감각은 점차 느끼지 못했다.

동작은 둔할 수밖에 없었다. 조교학생은 멋모르고 위험한 곳으로 가려는 어린아이를 엄마가 끄잡아 당기는 것처럼 그의 한쪽 팔을 이따금씩 당기며 길을 안내했다.

미세한 가루눈발이 쌓인 길을 건너 대학정문을 지나 안내된 곳은 본관건물 맞은편 교수연구동 3층에 마련된 집필공간인 연구실로 그의 명패가 붙어있었다. 조용하고 아담한 방에 깨끗한 밤색응접탁자와 조교책상과, 앞으로 그를 보필하게 될 코디네이터의 업무책상이 따로 놓여있었다.

며칠동안 장기체류에 필요한 거주지신고 등, 신상문제를 처리하고 1월 초부터 시작되는 학과강의시간도 배정되었다. 학과장 엥흐촐롱의 요구에 그는 교수계획서와 월 2회의 특강계획서를 이메일로 보냈다.

그녀는 학사관리에 필요한 학과의 학생명단을 이메일로 보냈다. 그리고 그가 몽골을 오기전 이메일로 미리 부탁한 코디네이터신청자들의 이력서와 자기소개서파일을 연구실로 가져와 내밀며 말했다.

"뜻에 맞는 코디네이터지원자가 있어요. 이 원서를 먼저 보세요. 제가 추천하고 싶은 사람인데 서류를 보시면 마음에 드실거예요."

하고 특정인의 지원서파일을 책상에 펴보였다. 학과장이 내민 지원신청자의 이름은 '척트타이츠 벌드호약 엥흐자르갈이(цогттайщ болдхуяг энхзаргал)'이라는 아주 긴 이름이었다. 이름을 보며 그가 말했다.

"아버지의 이름 벌드호약과 척트타이츠라는 원조상이름까지 성(性)으로 붙여 쓰는 아주 보기 드문 이름이군요. 아마 척드(Цогт)라는 조상이 영웅(тайщ/타이츠)칭호를 받은 것을 후손들이 자랑으로 삼는 모양이죠? 타이츠라는 말은 지금은 쓰지 않는 영웅이라는 옛문자 뜻이잖아요! 필시 조상의 어떤 내력이 있을 것 같군요."

"네, 바로 보셨어요. 자기소개서를 보세요."

학과장의 관심은 누구보다 긴 이름을 가진 지원자에게 있었다. 경이로운 내용의 자기소개서를 본 그는 한마디로 말했다.

"이분을 제 연구프로그램 코디네이터로 쓰겠어요. 학교에 바로 채용처리해주세요."

자기소개서에는 14세기 할하부족인 자신의 조상들이 대를 이어 족장을 지낸 가문에, 척트라는 조상이 칭기즈 칸 통일전쟁에서 영웅칭호를 받았고, 그의 아들 뭉흐토야가 칭기즈 칸 비서군단을 지휘했으며, 그 이전과 후대조상들이 구르반사이항 아르갈리산양동굴암벽에 대대로 그림과 부호를 새겨놓았다는 가문의 전설이 존재하고 있다는 놀랄만한 내용이 기술되어있었다. 만족해하는 그의 표정을 본 학과장은 돌연 겸연쩍은 표정을 지으며 말했다.

"어쩌죠? 이미 알고 계시는사람이예요."

그러면서 들어올 때 벗었던 암갈색털모자에 장식된 구슬을 만지작거리며 작은 미소를 보였다.

"네? 제가 알고 있을 리가 있나요? 이제 막 몽골에 왔는데."

"실은 공항에 같이 마중 나갔던 제 친구거든요."

"네?그래요? 머리에 빨간 호르강말가이를 썼던?"

"네, 그래요. 미리 말씀드리지 못한 점은 죄송해요. 그날 제 차안에서 친구라고만 말씀드렸잖아요! 몽골바위그림에 대한 글을 쓰려고 작가한 분이 한국에서 연구교수로 오신다고 했더니, 집안선조의 바위그림이야기와 맞아떨어진다며 공항에 따라 나온 거예요. 먼저 선을 보게 된 거죠. 도움을 많이 줄 거예요. 또 그런 가문의 내력을 역사적으로 조명해 보려고 저희학교 대학원에서 몽골역사학을 전공하고 교육부에 근무하고 있었어요. 연구교수승인신청서류를 가지고 교육부에 갔을 때 만났는데, 교수님 말을 듣고, 대단한 관심을 보였어요. 자신의 가계사에 암각화에 얽힌 전설의 실마리를 풀고 싶은 뜻을 가지고 있고, 꼭 만나보고 싶다고 해서 일차 공항에 데려갔어요. 교육부승인문제를 엥흐자르갈이 모두 처리해줬지요. 그날 오면서 코디네이터이야기를 듣고 스스로 나선 거예요. 본래 시골 조부의 목축지로 들어갈 계획을 가지고 지금은 교육부를 그만뒀어요. 코디네이터로 선정해주시면 그 일을 마친 뒤, 시골 조부의 목축지로 갈 거래요. 선택은 교수님자유니까 마음대로 하세요. 부담은 조금도 갖지 마세요."

"아닙니다. 전혀 부담스럽지 않습니다. 오히려 잘된 일이죠."

"그래요? 다행이군요. 그럼 학교에 바로 채용시킬게요."

그는 다른 지원자의 서류를 더는 볼 필요가 없어졌다. 그리고 이미 공항에서 보았기 때문에 면접은 따로 필요 없다고 말했다. 그가 안목도 넓을 거라는 이유도 있지만, 그녀의 이름 앞에 붙어있는 성(性)에는 '척트타이츠'라는 그녀 조상의 이름과 몽골역사학전공자라는 점이 구미를 크게 당겼다. 그 이유는 엥흐자르갈 이름 앞에 성으로 쓰는 또 다른 조상의 이름 '척트타이츠'에서 타이츠의 뜻이 지금은 사용하지 않는 고어(古語)로써, 과거 대단한 귀족에게 주는 영웅을 의미하는 것으로, 타이츠는 몽골문자역사에서, 위구르사람들에 의해 사용했던 몽골비칙그로 추정되는 내려쓰는 문자로, 지금 통용되고 있는 키릴문자로 영웅이라는 뜻은 '바타르'인데 왜 고어를 굳이 이름 앞에 성으로 쓰는지 의구심이 들었고, 더불어, 그녀의 자기소개서에는 조상들이 대를이어 할하부족 족장을 지냈으며 조상들이 동굴에 돌그림을 새겼다는 가문의 전설이 존재한다는 내용에 굳이 면접을 볼 필요는 없었다.

그게 사실이라면, 대단한 영웅의 행적이 후손에 의해 비문형식으로 기록되어 있거나, 암각화의 부호로 초원 어딘가의 바위에 새겨져있을지 모르며, 또 거기에 따른 흥미롭고 독특한 그녀의 가계사가 필시 존재할 것이라는 추론을 배제할 수 없었다. 다행히 그 추측은 근사치보다 더 가깝게 적중했다. 왜냐면 후일 그녀의 이력서에 기록된 대로 그녀는 그 긴 이름의 내력을 설명해 주었다.

자기소개서 내용대로라면 그녀의 고향은 고비 구르반사이항으로 그곳은 그녀가 나중에 말해준 것처럼 영하 45도를 오르내리는 추운겨울, 자랑스러운 가계사를 고비의 위대한 바위산동굴암벽에 부호를 새기던 척트의 후손 뭉흐토야가 동굴 밖 초원눈밭에서 의문의 동사(冬死)를 하였다는 지역이기도 했다.

또 후에 알았지만 그녀 엥흐자르갈은 조상의 전설에 강한 집념을 가지고 선조인 척트타이츠의 영웅적 내력과 다음조상 뭉흐토야가 단순한 자연신앙적 배경을 가지고 동굴암벽에 그림을 새겼던 것인지, 자랑스러운 가계사를 남기려고 새긴 것인지, 자신이 나서서라도 정리하고 직접 확인하려는 강한 의지를 가지고 있었다.

그녀가계의 돌 그림에 대한 전설은 그에게 타이츠라는 고어의 영웅이라는 뜻으로부터 영감을 던졌고, 대단한 관심을 불러일으켰다. 어차피 그가 몽골에 발을 붙이게 된 목적 또한, 몽골암각화에 얽힌 이야기하나를 들춰내어 풀어볼 심사였기 때문에, 그녀가 코디네이터모집에 응하고 그가 그녀를 선택한 것은 서로에게 행운이었다.

그러니까, 그녀의 등장은 척트타이츠 시대의 전설의 돌그림을 추적할 수 있는 더 없는 기회로 성큼 다가선 것이다.

"엥흐자르갈! 샘 베이노?"

(엥흐자르갈 안녕)

며칠 후 학과장으로부터 통보를 받은 그녀가 노크를 하고 연구실로 들어오자, 머뭇거리는 그녀를 몽골어로 반겼다. 그러자 그녀는 한국어능력시험에 수석을 할 정도로 탁월한 실력을 갖추고서도 의아스러운 표정을 눈으로 잠깐 짓고서 재치 있게 몽골어로 인사를 받았다.

"오올즈상다 바야르테이 바인."

(뵈어서 반갑습니다.)

그러면서 자신을 선택해준 것을 고마워했다.

이제 그녀는 1년 동안 여러 번역을 돕고 연구실과 그의 일정관리, 특히 암각화박물관 안내와 유목민레지던스 초원에 흩어져 있는 암각화와 관련된 일들을 도와줄, 그녀 스스로 선택한 임무를 맡게 되었다. 동시에 그녀가 마음먹고 있는 조상의 동굴암각화를 찾으려는 욕망과, 그가 마음먹고 있는 암각화에 얽힌 이야기를 찾는 일과 겹쳐지므로, 둘은 자연스럽게 공통의 대상물을 찾는 동반자입장이 되었다. 만약 그가 선택한 코디네이터가 다른 사람이었다면 암각화에 얽인 대상을 찾으려고 그저 헤매다 말거나, 조급히 초원에 노출된 암각화만을 관심도 없는 관광객처럼 끼웃거리다가 소득 없이 되돌아올 공산이 뻔했을 것이다. 하므로 그녀의 등장은 그에게 대단한 행운이었다.

3

엥흐자르갈

몽골대통령배국립도서관에 자료 수집을 갔던 날, 그는 엥흐자르갈과 기초적인 몽골암각화를 포함하여 많은 이야기를 나누었다. 이미 어느 정도 눈치를 채고 있었지만, 그 무렵 그는 그녀가 일상적인 호의이상으로 이성적인 어떤 감정을 가지고 있다는 것을 느끼고 있었다. 왜냐면, 그녀는 코디네이터업무범주를 벗어나, 그에 대한 관심 폭이 의외로 넓어졌다는 점이다.

그것을 알게된 것은 구체적으로 강의분위기가 잡혀가고 학생들과 커뮤니케이션이 순조롭게 이루어지기 시작할 무렵, 그녀는 몽골어번역물을 이메일로 보내주면서 공적관계를 벗어난 사적인 자신의 감정의 글을 따로 보냈다.

마치 그녀는 야로나이락치(яруу найрагч/시인)처럼 시(詩) 구절 문장으로 자신의 속마음을 한국어로 쓴 뒤, 다시 하단에 같은 내용을 몽골어로 표기한 내용이었다. 하지만 그는 공적인 일이 아니어서 그 부분에는 관심을 두지 않았다.

자신에게는 그런 일이 일어날 수도 없거니와, 엄두도 내지 못할 일로 간주하고 있었다. 그런데 얼마 뒤부터 그녀의 태도는 확연하게 달라졌다.

연구실책상에 몽골에서는 재배되지 않는 여러 수입 꽃을 갑자기 구해다 화병에 꽂아놓는다든가, 그의 책상 옆 창가를 화분으로 장식한다든가, 식사를 더 관심 있게 걱정해주며, 거기에 더하여 그가 모르는 사이 자신이 조리한 먹을거리를 사감에게 키를 받아 숙소에 가져다 놓거나, 나중에는 미처 남겨놓은 설거지는 물론, 방안청소까지 말끔히 해놓는다든가, 하는 것을 보면 그녀는 공적인 범위를 한참 벗어나있었다.

그건 그렇고, 그녀와 함께 찾은 국립도서관에는 특별한 암각화와 몽골역사를 알 수 있는 사적자료들이 풍부하게 보존되어있었다. 단 하루에 몽골역사를 자세히 알 수는 없었다. 그녀는 각 구역마다 몽골역사학전공자답게 필요한 설명을 열심히 해주었다.

해질 녘이 되어 도서관문을 닫게 되어서야 둘은 그곳을 나왔다. 출구도어를 열면서 그가 말했다.

“엥흐자르갈, 배도 고프고 너무 추워요. 우리 어디 가서 저녁 겸, 뭐 좀 먹어요.”

그 말에 그녀는 머루눈빛을 반짝이며,

“그래요. 곧 해가 져요. 여긴 빨리 밤이 와요. 좋은 장소로 안내할게요.”

그녀의 안내로 간 곳은 수흐바타르 광장근처빌딩 조용한 3층 카페였다. 도어를 열고 들어가자 웨이터가 그들이 걸친 두터운 외투를 받아들고 입구 옷방 옷걸이에 걸고 번호표를 주었다. 몽골은 두터운 외투를 입어야만 추위를 견디기 때문에 대중업소에서는 입구 옷 방에 외투를 벗어두고 실내로 들어가게 되어있다. 울란바타르대학에서도 두 개의 교실을 옷 방으로 사용하고 관리인이 학생들의 옷을 맡기면 번호표를 주고 관리한다. 창문 밖으로는 영웅 수흐바타르 동상이 보였다. 칭기즈 칸 동상이 건물중앙에 보이고 의회건물옥상에서 몽골국기 소욤보가 해지는 검은 그늘에 내려지고 있었다.

실내분위기는 조용하고 아담했다. 잔잔한 몽골음악이 흘러나왔다. 몇몇 연인들이 식사를 하거나 커피를 마시고 있었다. 웨이터가 메뉴판을 가져와 내밀었다. 그녀는 메뉴판 음식을 골랐다. 그리고 메뉴판을 돌려 손가락으로 음식의 이미지를 가리키며 권했다.

"이걸 권할게요. 몽골음식이 서구식으로 차려나온 거예요. 이건 양고기로 조리된 초이방[1])과 보쯔[2])구요. 따로 야채류가 섞여있어요."

그는 그녀가 권하는 음식을 택했다. 그녀는 가벼운 것으로 주문했다. 식사가 끝나고 커피로 입을 적시며 비로소 암각화이야기가 자연스럽게 흘러나왔다.

그녀는 몽골암각화연구와 그것를 주제로 글을 쓰려고 한국에서 연구교수 한분이 온다는 것을, 교육부에 근무하면서 친구인 엥흐촐롱을 통해 알고 있었다는 것을 먼저 내비친 뒤, 자신의 가계에 대한 일들과 연결하여 척트타이즈 자신의 조상들이 새겨놓은 동굴암각화를 자신이 나서서라도 찾는 것은 물론, 언젠가는 그 내력을 꼭 확인하겠다는 의지를 가지고 있었다면서 말을 계속 이어갔다.

"전, 교수님께서 연구교수로 오실 때, 강의를 하면서 몽

---

1) 초이방/чуибан : 양고와 칼국수를 기름에 볶은 음식

2) 보쯔/Бууз : 우리의 만두와 같은 음식

골암각화를 주제로 글을 쓰시려고 오신다는 말을 처음 들었을 때부터 관심을 가졌어요. 학기에 맞춰 이번에 오시는 걸 알고 엥흐촐롱에게 만나보고 싶다고 부탁했어요. 공항에서 처음 뵌 날 이상하게 가슴이 뛰었고, 두 분이 코디네이터를 정하는 말씀을 나누시길래 엥흐촐롱에게 뜻을 밝혔더니 연락이 왔지 뭐예요. 교수님의 코디네이터를 정말 해볼 거냐는 말에 얼마나 반가웠는지 몰라요. 단박에 지원을 했죠. 기대는 하지 않았지만 다섯 명 중 제가 선택되어 무척 기뻤어요. 제가 원했던 교수님을 모시게 되었거든요. 제가 생각하는 것과 교수님의 목적이 너무 같잖아요! 그래서 저는 신이 났죠. 지난번 교수님숙소를 청소하는데 얼마나 즐거웠는지……."

그러면서 그녀는 말끝을 흐렸다.

"엥흐자르갈, 여러 가지 도와주는 것 고마워요. 나는 엥흐자르갈의 가계사가 매우 궁금해요. 또 엥흐자르갈이 그런 가문의 후손이라는 점을 퍽 다행으로 생각해요. 타이츠는 고대에 영웅이라는 뜻으로, 지금 사용하지 않는 몽골비칙그 문자인 고어를 사용하는 것은 필시 척트라는 조상에 대한 전설이 존재한다는 것과 그 조상들이 동굴암벽에 그림을 새겼다는 전설이 사실이라면 저의 프로그램을 도와줘야 해요."

"네, 그래요. 어차피 제가 할 일인 걸요. 그러나 저보다는 목축을 하시는 조부께서 더 자세히 잘 알고 있어요. 울란바타르 도시생활도 시골조부와 엄마의 도움이 없으면 전할 수 없어요. 더구나 제가 태어나기 전에는 몽골이 사회주의였는데, 그 이전의 가계역사를 제가 소상히 알 리가 없죠. 그러나 전 자라면서 척트타이츠라는 선조이름을 저의 이름 앞에 성(性)으로 붙여 사용하는 것을 의문을 가지고 자랐고, 저의 화두가 되어왔어요."

"!"

"다만, 제가 아는 건 전해오는 말로 타이츠 칭호를 받은 척트라는 조상이 계셨다는 것, 그 다음 뭉흐토야라는 이름을 가진 조상이 대를 이어 아르갈리산양동굴에 부호와 그림을 새겼다는 것, 이런 가계의 전설이 여러 조상을 거쳐 오며 전승되어온 거죠."

그녀가계의 전설은 처음부터 그에게 커다란 영감을 던졌다. 그녀가 말하는 표면상의 이야기만으로도 가슴이 설렐 정도였다. 그녀는 양볼에 홍조가 띄워져있는 넓은 얼굴의 전형적인 몽골여인의 모습은 아니었다. 호르강 털모자가 잘 어울리는 도시형얼굴로 까만 머루눈동자는 넘치는 매력마져 지니고 있었다.

그런 그녀에게 의문이 있다면 미혼이라는 것을 말하지는 않았지만, 기혼이라면 남편이야기나 자녀이야기를 할만도 하지만 그녀는 전혀 언급하지 않았다.

밤이 깊어갔다. 마침내 그녀가 기회를 엿본 듯 조심스럽고 나직한 음성으로 말했다.

"교수님?"

"네, 엥흐자르갈, 말해 봐요."

"저기…… 번역원고는 어땠어요?"

"번역을 아주 잘해주었어요. 강의가 편할 만큼."

그는 그녀가 덧붙여 보낸 메일 내용에 대해서는 언급하지 않고 공적인 부분만을 끄집어 말했다.

"……."

그녀의 침묵에 그는 갑자기 그녀가 무엇을 내비치고 있는지 알아차렸다.

"제, 메일 내용에 대해서……."

"……."

그녀는 머뭇거리며 말끝을 흐렸다. 그를 바로 바라보지 못하고 입술을 지그시 깨물며 몸 둘 바를 모르는 표정을 보였다. 시간이 흐를수록 그가 함구하자 홍조를 띠운 그녀는 당황했다. 하지만 그는 밑도 끝도 없는 그녀가 원하는 대답을 해줄 수 없었다. 하지만 이처럼 조바심을 갖는 그녀를 어떤 말을 통해서라도 부끄럽지 않고 지금의 순간모면을 할 수있도록 만들어 줘야했다.

"엥흐자르갈?"

"네, 교수님."

그녀는 작고 빠르게 대답했다.

"왜, 그런 마음을 가지게 된 거죠?"

하고 군색한 그녀에게 해명할 수 있는 상황의 틈새를 살짝 열어주었다. 그녀는 그 틈새를 얼른 빠져나왔다.

"공항에서 처음 보면서 이상하게 가슴이 뛰었는데, 친구인 학과장에게 코디네이터 합격통보를 받고 기쁜 마음으로 교수님연구실에 처음 갔을 때……."

그녀는 또 말끝을 흐렸다.

"갔을 때?"

"네, 그때. 제 기분이 이상했어요."

"어떻게요?"

"분명 업무적으로 갔는데 교수님이 아니라 외국출장을 끝내고 돌아온 남편의 부름을 받고 가는 것 같은 이상한 설렘……?"

"네?"

엉뚱한 그녀의 말에 그는 잠시 놀랐다.

그리고 다시 관심있게 되물었다.

"그리구요?"

"제가 들어서자, '엥흐자르갈, 샘배이노?' 하시며 늘 보아 온 것처럼 다정스럽게 몽골어로 인사를 하시는데, 저도 모르게 가슴이 철렁 내려앉았어요. 그리고……."

"그리고, 또, 뭐죠?"

"점심시간에 교수식당에서 손수 식사를 챙겨드린다든가, 거기에다가……."

"네, 그만해요. 알았어요."

그는 그녀의 말문을 가볍게 막았다.

그녀는 그저 어린초등학생이 좋아하는 선생님 앞에서 부끄러움을 타는 것 같은 순수한 표정을 보였고 그는 그 정도 선에서 생각하기로 했다.

그러나 그녀는 꼭 코디네이터가 아니라 할지라도 당장 그에게 꼭 필요한 존재였다. 그녀의 도움 없이 무엇 하나 이곳에서 제대로 할 수 없을 정도로, 그녀에게 의지해야만 하는 상황에 놓여있었다. 그녀의 가계사는 그가 연구하는 거의 모든 것을, 어디에서도 찾기 힘든 거의 전부를, 통째로 몽땅 가지고 있었다. 그러므로 그녀의 감정이 손상되지 않도록 모든 일을 원만하게 진행해야 하는 상황이었다.

그는 그녀의 고백을 당장 받아들이지 않았다. 그녀가 부끄러움을 갖지 않는 환경을 유지하며 지내기로 마음먹었다. 그래서 그는 이렇게 말했다.

"마음에 담아두고는 있을게요. 나쁘게 생각하지는 않아요. 나쁘지도 않구요."

그녀가 꼭 싫은 것은 아니지만, 당장 그녀에게 기울어지지도, 기울어질 수도 없는 일이었다.

4

울란바타르의 밤

2월에 접어들자마자 울란바타르 도시는 차량과 인파로 붐볐다. 몽골의 대명절 차강사르[1])가 코앞에 닥쳤기 때문이다. 차강사르는 봄이 시작되는 음력 1월 1일, 즉 새해의 첫날을 기념하는 명절이다. 차강은 흰색을, 사르는 달을 의미하는 것으로 우리의 설날과 같다. 벌써부터 인파가 붐비는 것은 명절에 고향을 찾는 사람이 많을 뿐더러 길게는 몇칠을 걸려서 가야하는 먼 거리에 고향이 있기 때문이다.

국립도서관에 갔던 날, 어렵게 그에게 향심을 고백한 엥흐자르갈은 판이하게 다른 더욱 발전된 태도로 성심을 다했다. 여느 때처럼 연구실책상화병에 시든 꽃을 갈아주고 커피 잔을 책상에 내려놓으며 그녀가 말했다.

“월요일부터 보름동안이나 학교가 쉬는데 어떻게 지내실 거죠? 전 할아버지와 어머니가 계시는 시골에 가야하는데…… 매년 명절을 쇠고 오거든요. 조부님말씀도 들어

---

1) 차강사르/Цагаан сар : 음력 1월 1일, 우리의 설날과 같은 몽골의 설날.

볼 겸 함께 가셨으면 해서요. 추위가 풀리면 가셔도 되지만 토, 일요일까지 치면 휴일이 너무 길잖아요. 또 연휴에는 은행도 마트도 모두 문을닫아요."

그러면서 그의 눈치를 살폈다.

지난 과거 그가 해외에서 생활할 때 긴 휴일의 고독을 잊을 수 없던 그는 다가오는 연휴의 지루함을 내심 걱정하고 있었다. 추위가 풀린 뒤 가려던 계획을 차제에 당기는 것도 좋을 것 같았다. 더구나 대명절인 차강사르와 게르생활을 체험할 수 있는 더없이 좋은 기회로, 몽골에 발을 딛고 첫 여행이기도 했다.

"나도 그러고 싶어요. 조부에게 가계의 전설을 알아볼 수 있을 테고, 조상의 동굴암각화이야기를 들을 수 있는 기회가 앞당겨지니까, 혹 명절에 가족들에게 방해가 되지 않을지……."

하는 말에 그녀는 일순 기쁜 표정을 내비쳤다. 그리고 다른 주문을 했다.

"방해라니요. 그렇지 않아요.저, 그런데……."

"그런데? 무슨 이유가 또 있나요?"

"아뇨, 전, 괜찮지만……."

그녀는 또 망설였다.

"어서, 말하지 않고."

그러자 그녀가 조심스럽게 다시 말했다.

"전날, 저희 집에서 함께 주무시고 다음날 새벽에 첫 버스를 타야하니까요."

"네?"

아무렇지 않게 말하는 그녀의 요구에 놀란 표정을 보이자, 그녀가 빠르게 말을 이었다.

"저희 집 쪽에 버스정류장이 있거든요. 시간도 그렇고."

그러면서 눈치를 다시 살폈다.

"그래요, 편한 대로 하기로 해요."

하고 그녀의 뜻을 선뜻 받아들였다. 그러자 그녀는 의미있는 미소로 다시 말했다.

"하시는 일에 정말 보셔야할 것도 있거든요."

하며 그의 목적에 도움이 될 거라는 귀띔으로 확실한 동의를 얻어냈다.

연휴 이틀 전, 그녀가 숙소로 온 것은 해지는 저녁으로 그가 여행준비를 모두 끝냈을 때였다. 택시를 타고 울란바타르 시내를 한참 동안이나 질주한 뒤 외곽지역 한 도로에 내린 곳은 수흐바타르구 5허러 5구역으로, 진녹색지붕의 간등사대웅전 라마불교사원건물이 장엄한 모습으로 멀리

서 있고, 사원오름길 양편에 무당들의 게르에 세워진 장대 깃발들이 펄럭이는 광경은 14세기 부족사회군영 깃발처럼 보였다.

주변건물과 그녀의 아파트는 1924년 몽골사회주의 이후 구소련지원으로 세워지고 노동자들에게 배급한 러시아풍 조립식아파트건물이었다. 건물 3층으로 오르는 통로는 아주 비좁았다.

실내 또한 작은 방 두 개와 협소한 주방과 화장실이 전부였다. 조금 큰방을 그녀는 거실 겸 침소로 쓰고 있었다.

그러니까 게르 살림정도의 단조로운 가구와 비좁은 실내는 몽골사회주의체제의 건물임에 틀림없는 형식을 띠고 있었다. 2000년 전 부터 유목문화로 살아온 자유몽골이 사회주의체제로 변하면서 대격동이 시작되었다. 사회주의 네그델(집단화)정책으로 유목민의 가축은 몰수했고 가축을 몰수당한 유목민들은 살길이 없어 울란바타르로 몰려들었다. 몽골에 정착문화가 뿌리를 내리기 시작한 것은 그 때부터로 유목민들은 도시건설노동에 동원되고 배급제가 시작된다.

서너 식구정도가 주거할 수 있는 공간이지만 충분한 기능은 있어보였다. 바닥은 몽골전통문양이 새겨진 적갈색

양탄자가 깔려있었다. 대체적으로 유목생활의 이동에 편리한 간편한 가구만을 소유했듯 그녀의 살림은 필요한 것만을 갖추고 있었다. 이렇게 단조로운 방안구조 속에 거실벽에 실로 짠 칭기즈 칸의 초상이 나붙어있고, 중앙난방으로 실내는 온화하다. 시선을 잡아 끈 것은 또 다른 벽면전체를 채운 양피지표면에 암각화가 탁본된 아주 오래된 그림이었다. 양피지암각화탁본에서 그는 눈을 떼지 못했다. 그녀가 정말 봐야할 것이 있다던 것이 바로 이 양피지탁본일 것이라는 짐작이 갔다. 그것 말고도 그림이 걸린 벽 아래에 오래된 손때 묻은 머링호오르가 놓여있었다.

그것들은 모두 골동품냄새를 풍기는 것들로 양피지암각화탁본에 관심을 보이는 그의 표정을 읽었는지 주방에서 수테채를 담은 구리주전자와 대접을 가져와 탁자에 놓으며 그녀가 말했다.

"꼭 보셔야 할 게 있다고 말씀드린 건 양피지에 탁본 된 돌 그림이에요. 제가 아끼는 저것을 너무 많아 가지고 나갈 수가 없기 때문에 오시도록 한 거예요. 머링호오르와 두 가지는 제겐 둘도 없는 가보예요. 돌아가신 고조부로부터 증조부와 조부를 거쳐 내려온 것을 아버지가 보관하셨고, 이제 제가 보관하게 되었어요. 군인이었던 아버지는 제가 태어나는 해에 군대에서 돌아가셨어요. 그래서 아버지 얼굴은 전혀 알 수 없어요. 빛바랜 흑백사진뿐이에요. 그 후 어머니와 전 할아버지와 함께 유목생활을 할 수밖에 없었죠. 유목민이었던 증조부께서도 조상의 돌 그림에 관심이 컸었나 봐요. 동굴암벽에 양피를 종이처럼 얇게 가공해 탁본을 떠 가계의 내력으로 대물림 하셨으니까요. 그리고 양피지탁본 돌 그림과 조상 척트 타이츠 시대의 돌 그림이 분명 어떤 연관이 있으리라 저는 생각해왔어요. 그래서 양피지탁본에서 가계의 실체를 꼭 찾으려는 욕심을 부리는 거죠. 아니 꼭 찾고 싶어요. 제가 남자거나 아니면 남동생이나 오빠라도 있었으면 진즉 찾아냈을 거예요. 그런데 목적이 너무나도 똑같은 교수님과 이 일을 함께하게 된 것이 전 무척 기뻐요."

"……."

양피지탁본과 그녀가 말하는 내력만으로도 그를 흥분시키기에 충분했다. 양피지탁본에는 '척트타이츠바트빌렉' 이라는 키릴문자가 아닌 아래로 내려쓴 표시는 13세기경 위구르문자에서 따온 옛 몽골문자인 비칙그로 시대성을 여실하게 증명하고 있었다. 더욱이 몽골은 옛문자 몽골비칙그를 부활하는 운동을 전개하고 있었다.

그러므로 바트빌렉이라는 조상 또한 척트타이츠라는 조상의 이름을 자신의 이름 앞에 사용한 것을 보면, 그가 위대한 가계의 전설을 양피지에 탁본을 떠 계승하고자 했다는 것으로 볼 수 있었다. 그의 피를 이어받은 그녀 또한 조상의 피를 계승하여 그 뜻을 이루려는 것으로 보아도 틀린 이야기는 아니다.

양피지탁본의 몽골비칙그 문자를 본 그가 물었다.

"양피지탁본 하단의 문자는 비칙그문자 아닌가요?"

"네, 맞아요. 몽골비칙그는 중앙아시아의 정신문화사에 매우 중요한 지위를 차지하고 있어요. 수백 년 동안 몽골인의 전통적인 생활과 정서적 특수성을 간직해온 문자인데, 이 문자는 8~9세기경 위구르사람들이 서그드에서 받아들여 사용하다가 13세기경 몽골 사람들에게 전해져왔다고 학계는 보고 있어요. 그러나 최근 학자들은 위구르를 통해서가 아니라 몽골인들이 서그드로부터 직접 문자를 받아들인 것이라는 견해를 제기하고 있어요. 구 몽골문자는 호칭(구)몽골비칙그, 호칭비칙그, 위구르찡몽골비칙그, 서부몽골과 할리막에서는 호담몽골비칙그, 등으로 불리기도 했지만, 그대로 몽골비칙그, 즉, 몽골의 옛 문자라고 부르는 것으로 족해요. 몽골비칙은 위에서 아래로 내려쓰는 종서원칙을 가지고 있어요. 왼쪽에서 오른쪽으로 써나가게 되어 있고, 기본적으로 7개의 모음과 26개의 자음으로 이루어져 있고, 이 문자의 정서법과 오늘날 따르고 있는 형태의 기본문자는 19세기에 형성되었을 것으로 보고 있어요. 몽골비칙은 자모의 음운이 적고, 몇 개의 기본그림으로 이루어지기 때문에 배우고 가르치기가 쉽다고 하지만, 실제로 외국인이 배우기에는 그리 쉽지는 않아요. 몽골비칙은 천 년 이상의 세월을 거쳐오며 몽골민족에 의해 사용되어온 유일한 문자인데 옛날에 달리는 말 위에서 썼던 글자라는 말처럼 매우 빠르게 써내려갈 수 있는 특징을 지니고 있어요. 몽골비칙은 1940년대까지 모든 공적인일과 출판에 사용되었지만 1930년대부터 몽골비칙을 새로운 문자로 바꾸려는 시도를 하기 시작했어요. 왜냐면 1930년 4월에 있었던 몽골인민혁명당제8차대회에서는 기존 몽골비칙이 언문일치가 되지않는다는 문제점이 제기된 거예요. 따라서 새로운 문화발전을 위해서는 새로운 문자를 사용하여야 한다는 주장이 제기되어, 이에 따라 라틴어를 사용하는 일을 추진하도록 결정했지만, 라틴어는 몽골어 발음을 모두 충족시키는 데는 그 기호가 부족해서 출판 등 기술적인 면에서 어려움이 따랐어요. 12년 동안 몽골비칙을 바꾸려던 언어정책은 많은 재정적 손실만을 끼치고 실패하고 만거죠. 그래서 다시 몽골비칙을 러시아문자인 킬릴을 기초로 하여 사용하자는 주장이 제기되어 1941년 러시아-몽골공동회의에서 이에 대한 일을 추진하기로 하였고, 1945년 5월 회의에서 1946년 1월 1일부터 새로운 문자인 킬릴을 사용할 것을 공포했어요. 러시아자모 33자에 Θ(어)와 Y(우)를 더해 지금 사용하는 몽골문자의 자모가 구성된 거죠."

몽골역사학전공자다운 자세한 설명이다.

이제 그는 더 이상 암각화에 얽힌 이야기와 대상을 찾아 헤맬 필요가 없었다. 엥흐자르갈이라는 존재는 확실한 양피지탁본을 매개체로 그와 그녀의 조상사이에 징검다리 역할을 해줄 인물이었다. 많은 암각화가 몽골에 존재하지만, 그녀의 가계 속에 흡하는 동굴암각화는 그가 하고자 하는 일에 최상의 증표로 코앞에 바짝 다가와 있었다.

건넌방에서 전통의상인 델[2])로 갈아입고 한참 동안이나 주방에서 궁싯거리던 그녀가 음식을 내왔다. 그녀가 갈아입은 과거 할하부족들이 즐겨 입는 푸른 비단의 의상은 그녀의 몽골적인 아름다움이 더욱 돋보였다.

---

2) 델/Дэл : 우리의 한복 마고자 같은 몽골전통의상

민족의상을 입은 그녀는 또 다른 매력을 드러냈다. 그러나 그녀가 입은 델의 단추가 뒤로 붙어 있는 것이 눈에 띄었다.

"엥흐자르갈의 델은 참으로 아름다운데, 왜 단추가 뒤에 붙은 거죠? 뒤로 잘못 입은 것처럼……."

그러자 놀란 눈을 크게 뜨며 그녀는,

"오- 어쩜, 보시는 눈이 예민하시네요. 그런 관찰력을 가지셨으니까 왜 델을 뒤로 가게 입었는지 짐작은 하시겠군요. 그래요. 이것도 집안의 전통에 따른 것이에요. 저희 가문은 손이 귀했어요. 지금 가문을 보아도 여러 오빠가 있었지만 모두 일찍 죽었어요. 아버님도 그렇고. 저까지 그럴까 봐, 제가 태어나자 처음 옷을 해줄 때부터 어머니는 옷깃의 방향을 반대로 만들어 입혀주었어요. 그러면 귀신이 사람이 아닌 줄 알고 그냥 지나갈 것으로 믿은 거예요. 그래서 전 지금껏 살아있는지도 몰라요. 뵙게 될 시골 조부 이름은 홍비쉬(사람이 아니다.)예요. 그러니까 척트타이츠 홍비쉬라 부르는 거지요. 아예 증조부께서 '사람이 아니다.' 라고 이름을 지어줬으니까 귀신이 데려가지 못해 지금껏 살아계신 것인지 몰라요. 사람이 아니라는데 어떻게 귀신이 데려가겠어요?"

웃음이 터질 일이지만 그녀의 말하는 태도는 진지하다.

몽골은 현대문명과 유목민적인 자연신앙이 함께 공존하고 있었다.

그녀가 차려온 음식은 양고기가 주종을 이루었다. 저녁을 끝내고 침대에 걸터앉아 수테채를 마시며 드넓고 척박한 고원지대의 고독감을 연상하게 하는 구음으로만 이어지는 몽골전통음악을 Mp3로 감상했다. 망망대해 같은 초원에서 전통의상 델을 입고 붉은 부스[3])를 허리에 두르고 무늬가 화려한 고탈에 호르강모자를 쓴 목자가 초원 하늘 끝을 바라보며 양떼를 향해 내는 소리는 몽골의 장가(長歌) 토올이다. 그녀는 수테채가 떨어지지 않도록 잔을 채웠다.

분위기를 바꾸고 싶었는지 그녀는 마유주를 내왔다.

"이건, 어머니가 직접 만드신 거예요."

작은 대접에 마유주를 따라주며 그녀가 말했다. 그리고 자신도 마셨다. 마유주에 알콜기가 있었다. 그녀는 서너 잔 마유주를 들이켰다.

"엥흐자르갈, 알콜기가 있는데 취하려고."

"제가 즐겨 마시는 거예요. 많이 마시면 취기가 오르지만 건강에는 좋은 술이에요."

---

3) 부스/БҮс : 델을 입고 허리에 두르는천

손을 뻗자 벽에 기대어 놓인 머링호오르가 손에 닿았다. 진갈색마두금의 얄팍한 표면이 손때에 반들거렸다.

“머링호오르 소리 들어보셨어요?”

“수년 전 내몽골에 있을 때 들어본 적이 있는데 소리가 좋아 CD를 구입했죠.”

“그래요? 부족하지만 제 연주솜씨를 보실래요?”

그러면서 그녀는 기원신화에 등장하는 사랑의 전설을 가진 말(馬)과 연관이 깊은 머링호오르의 몸체를 어루만졌다.

“이건 동굴에 들어가 조상의 돌 그림을 양피지에 탁본을 뜨셨던 고조부께서 말가죽을 대어 직접 만들고 연주하셨다는 것인데, 양피지탁본과 똑같이 제가 가보로 여기는 거예요. 그걸 보면 고조부께서는 음악소질도 대단하셨던 것 같아요. 지금 할아버지도 잘 켜시는데 제가 어릴 적에는 그 소리를 들으며 자랐어요.”

그녀의 머링호오르 연주는 초원의 외로운 말 한 마리가 먼 하늘을 바라보며 머리를 들어올리고 자신의 슬픔을 호소하는 것처럼 느껴졌다. 머링호오르의 애잔한 음률에 그는 황량하고 적막한 고원풍경 속으로 끌려 들어가는 것 같았다. 수준 높은 솜씨다.

이전과 다른 새롭게 느껴지는 몽골인의 본질이 그녀로부터 가슴에 와 닿는다. 악기를 내려놓은 그녀가 조용히 말했다.

"이상하죠?"

"……."

"저번에도 말씀드렸지만, 교수님연구실에 처음 갔던 날 해외출장에서 돌아온 남편을 만나러 가는 것처럼 설레었던 마음, 그리고 또……."

그러면서 그녀는 자신이 미혼이라는 암시를 은연중 내비쳤다.

"……."

그녀의 내면을 느끼게 하는 울란바타르 밤이었다.

5

고비의 낭만

"삼일 밤을 버스에서 자면서 돈드고비를 거쳐 구르반사이항에서 내리면 조부께서 말을 가지고 나오실 거예요. 참, 말 타실 수 있어요? 구르반사이항에서 게르까지는 말을 타고 가야 하는데, 추우니까 이걸 입으세요. 지금 입으신 걸로는 어림도 없어요. 신발도 이걸로 갈아 신으시고."

어둑발이 남아있는 이른 새벽에 꾸려놓은 배낭끈을 조이며 그녀가 말했다. 그리고 다시 설작을 열고 두텁고 오래된 고탈 한 켤레와 고청색(古靑色) 델과 허리에 두르는 노란 부스를 내놓았다. 고탈표면은 밤색말가죽이었고 양털로 내부가 누벼진 것이었다. 그녀는 다시,

"모두 아버지께서 쓰시던 거라는데 맞을 거예요."

그러면서 델을 걸쳐주고 허리에 두르는 황색부스를 살펴주었다.

"어쩜, 이렇게 꼭 맞죠? 아주 잘 어울려요. 호르강모자까지 쓰니까 완전한 몽골사람이 되었어요. 모두 돌아가신

아버님 것으로 갖추니까 아버님이 돌아오신 느낌이 들어요. 말 타실 수 있겠죠? 아! 내몽골에서 머문 적이 있다고 하셨죠? 거기에서 말을 타셨겠군요. 그렇다면 안심이에요."

하며 머루눈을 반짝였다.

그녀가 입혀준 복장은 그를 틀림없는 몽골 사람으로 만들었다. 그들은 가까운 버스정류장으로 향했다. 돈드고비로 향하는 버스는 울란바타르를 벗어나 건조한 밀가루 같은 눈발이 날리는 도로를 달렸다. 삼일 밤 나흘을 버스에 의존해야 하는 거리다. 버스가 스쳐가는 도시근교 마을, 판자울타리에 게르들의 굴뚝에서 하얀 연기가 솟아오른다. 몽골사회주의가 소련의 붕괴로 민주화가 되면서 소유와 정착개념이 표면상으로도 나타나는 몽골이다.

떠오르는 태양에 긴 그림자를 끌고가는 낙타들을 본다. 거리를 측정할 수 없는 광활한 평원능선에 뱀허물처럼 늘어진 도로를 버스는 달리고 있다. 끝을 알 수 없는 붉게 물든 설원바다, 풍선처럼 태양이 중천으로 떠오르면 은빛으로 빛나는 대지가 끝없이 펼쳐진다. 건조한 눈발이 날리고, 그녀는 늘 그래온 것처럼 그에게 몸을 기댄다. 그것을 그는 함묵으로 일관한다.

그것마저 극구 용인하지 않는다면 내숭을 떠는 것 같다.

그와의 여행이 그녀는 시종 즐겁다. 외국인선호도에서 단연 1위, 한국을 '무지개의 나라'로 서슴없이 부르는 그들은 몽골반점을 이야기하며 한국과 몽골이 합쳐야한다고 말할 정도다. 그 1위의 무지개나라에서 그가왔다. 물론, 그녀 자신이 그만한 조건을 가췄기 때문이지만 그를 보필하는 것만으로도 그녀는 타인들의 부러움을 산다. 그녀는 그것이 자랑거리다. 어느 지점에서 버스가 멈췄고 다른 승객들과 식당으로 들어가 식사를 하고 버스는 또 달렸다.

나흘 째 오후가 되어서야 버스는 돈드고비아이막 만달고비를 거쳐 구르반사이항 솜에서 멈췄다. 그리고 영업용 게르에서 주문한 수테채를 마시며 조부를 기다렸다. 밖으로 나간 그녀가 한참 만에 게르 문을 열고 얼굴을 내밀며 말했다.

"조부님이 오고 계셔요."

멀리 설원 속에서 귀덮게가 달린 양털모자를 눌러쓴 그녀의 조부가 두필의 말을 몰고 눈발 속을 달려온다. 다가온 그는 자신의 말머리를 돌려 몸을 숙이고 그녀에게 말고삐를 던졌다. 말고삐를 건네받으며 그녀가 말했다.

"조부님이세요. 말을 가지고 오셨어요."

"샘 베이노."

그가 인사를 건넸다. 말에서 내린 조부는 몽골식인사로 반겼다. 잠시 그녀와 대화를 나눈 조부는 말머리를 돌려 왔던 눈길 속으로 달려갔다. 모두 밤색 말이다. 엥흐자르갈이 가슴에 흰점이 박힌 말고삐를 그에게 건네주며 말했다.

"본래 제가 타는 말이에요. 이걸 타세요. 안장꾸미개가 앞뒤로 가깝게 있어서 편하실 거예요. 조부께서 특별하게 만들어주신 거예요. 말목을 이렇게 여러 번 쓰다듬어 주세요. 주인이 갑자기 바뀌면 녀석이 싫어하거든요. 쓰다듬어주고서 이렇게 몇 번 더 턱을 쓸어주면 아주 좋아하고 바로 녀석과 친해져요. 버릇을 들여놓은 거예요."

그러면서 그녀는 말안장양편에 매달린 등자쇠의 끈을 당겨보며 안전한가를 손봤다. 그리고 그의 밤색배낭을 안장고정 대에 걸었다. 안장도 튼튼했다. 그녀는 그가 등자쇠에 발을 얹고 먼저 말에 오르게 한 뒤 노련하고 순발력있는 솜씨로 단번에 말에 올랐다. 그녀의 모습은 또 다른 모습이다. 도시의 그녀모습과는 판이하게 다르다.

몽골의 과거에서 갑자기 나타난 유목민여인다운 새로운 그녀의 모습이다. 세차게 앞서 달려가는 조부모습 또한 장군 같은 기상이었다.

눈바람이 날린다.

"어때요? 아버님의 델을 걸치니까 춥지 않으시죠? 바로 가도 되지만 기왕 여기까지 오셨으니까 멋진 곳을 안내할게요. 보시면 감탄하실 거예요. 안장은 불편하지 않으세요?"

"안장꾸미개가 딱 맞아요."

"이렇게 함께 말을 타고 이 멋진 설원을 같이 가게 될 줄 상상도 못했어요."

엥흐자르갈은 기쁜 표정으로 말머리방향을 돌렸다. 시야의 거리를 측정할 수 없는 태양 빛에 물비늘처럼 빛나는 광활한 설원이 펼쳐있었다. 밤색 말에 오른 목자가 양떼를 몰고 겨울목초지로 가는 모습이 멀리 보였다.

둘은 안장고정대를 잡고 이야기를 주고받을 만한 가벼운 속도로 천천히 말을 몰았다. 그녀는 그가 걱정되었는지 앞서가지 않고 자신의 말을 그의 곁으로 붙이며 속도를 줄였다. 하지만 말과 호흡이 하나가 되고 말을 타면 일어나는 질주본능에 그는 등자로 말의 복부를 힘껏 내리치며 갑작스럽고 빠르게 말을 몰았다. 말에 오르면 이렇게 질주본능이 일어난다. 설원 속을 마음껏 즐기는 질주다.

그녀가 뒤따라 달려오며 소리쳤다.

"와-우- 멋져요."

그러나 그는 그녀의 승마솜씨를 따를 수 없었다. 어느덧 그녀는 그를 앞질러 마른 풀이 듬성듬성 눈 밖으로 솟아있는 선이 부드러운 구릉을 올라 말머리를 돌려세우고 그를 내려다보며 기다렸다.

"자, 사방을 둘러보세요. 어디를 보아도 아름다운 곳이에요. 여긴 해발 1,800m예요. 숨이 차오를 거예요."

구르반사이항, 대평원하늘과 경계가 무시된 드넓은 정경은 안구조리개하나로 도저히 쓸어담을 수 없는 신(神)만이 창조할 수 있으며, 초현실주의 거장, 살바도르 달리의 화폭에서나 볼 수 있는 초자연적 풍경이다. '또 다른 손질이 필요 없는 신의 작품'이라고 경탄하자, 예술가만이 토해낼 수 있는 경탄이라며 엥흐자르갈은 칭찬했다.

강렬한 햇살 속 은빛설원이 보석처럼 반짝이는 대지 멀리 우뚝 솟은 바위산을 지나, 선과 면이 부드러운 능선양지에 엥흐자르갈 조부의 게르들과 가축우리들이 자리잡고 있었다. 이웃이라 할 수 있는 서너 세대의 하얀 게르들이 아주 멀리 평화롭게 조화를 이루고 있었고, 조부의 게르와 그녀의 모친이 기거하는 게르와, 또 다른 게르들이 세워져있었다.

가축우리에는 수많은 말떼와 소떼와 야크, 그리고 양이며 낙타까지, 가축도매시장을 방불케 했다. 바른편 자작나무우리 야크들이 황소 눈처럼 큰 눈망울을 굴리며 새 손님을 반긴다. 나중에 들은 얘기지만 이 정도의 가축이면 대목축가로 평가받을 수 있는 가축들이라고 했다. 말에서 내리자 그녀가 고삐를 양 우리에 잡아매며 말했다.

"말은 우리에 메는 거예요. 절대 게르에 묶어서는 안 돼요. 말이 튀기라도 하면 게르가 무너지거든요."

말안장을 안으로 들여간 그녀는, 조부와 모친이 계시는 곳으로 그를 데리고 들어갔다. 전통의상차림으로 그녀의 조부와 모친이 반갑게 그를 맞았다. 그들은 차강사르 전날인 비퉁날[1])에 가족과 손님들이 먹을 비투릭[2])의 하나인 많은 분량의 보쯔(만두)를 만들고 있었다. 뜨겁게 타오르는 무쇠난로 솥에서 양고기가 통째로 삶아지고 있었다.

비퉁은 차강사르 전날을 말한다. 이날은 우리의 섣달 그믐날과 같고, 묵은해를 마감하고 새해맞이를 준비하는 날

---

1) 비퉁/**битYYн** : 몽골 설 전날(우리의 섣달 그믐)

2) 비투릭/**битYYбитYYлэг** : 설 전날 먹는 음식

로 몽골 사람들은 비퉁이 되기 전에 기본적으로 주변 환경을 정리하고 마음까지도 정리한다. 더러운 것이나 부정적인 것들을 말끔히 정리하고 새해를 새롭게 맞이하는 풍습이다. 비퉁날 준비하는 음식을 비투릭이라고 부른다. 양을 삶아 목과 가슴살 그 밖의 고기들을 놓고 하얀 유제품인 차강이데[3])와 버브[4])를 제삿상처럼 풍성하게 단위에 차려 놓는다.

그녀는 조부와 모친에게 그를 소개했다. 아울러 조부는 물론 모친과도 몽골식인사를 나누고 그는 손님이 앉는 자리에 앉았다. 조부와 정식으로 나누는 인사방법은 자신들이 지닌 코담배를 서로 주고받는 것으로 믿음과 애정을 준다는 뜻이 있다. 그녀는 행여 그가 어려워할까봐 신경을 무척 썼다.

고비의 태양은 일찍, 그리고 갑자기 기운다. 그는 있는 동안 조부가 기거하는 게르의 손님자리침대를 이용하며 조상이야기를 듣게 될것으로 생각하고 있었다. 하지만 기본적인 그 생각은 큰 격차를 가져왔다. 저녁이 되자 엥흐자르갈은 목축지에 들어오면 그녀자신이 생활하는 게르 안으

3)차강이데/цаган идээ : 하얀 음식

4)버브/боов : 사탕 등 과자류

로 그의 배낭을 옮겼다. 그러면서 말하기를,

"여기는 제가 쓰는 게르예요. 계시는 동안 저랑 여기서 주무셔야 해요."

그녀는 아무렇지도 않게 태연하게 말했다.

"엥흐자르갈! 뭐라구요?"

그가 계속 의구심을 드러내자 엥흐자르갈은 또 말했다.

"조부님은 따로 주무세요. 어머니는 식당게르에서 주무시고 우리는 여기서 자는 거예요."

그러는 거라고, 그렇게 '정해져있는 거' 라고 태연하게 말하는 태도에서 옛부터 들어왔던대로 그들의 풍습이라는 생각에 난처하지만 도리없이 수용했다.

이것이 그들에게는 전혀 이상한 일이 아니었다. 이를테면 밖에서 남자나 여자친구를 데리고 오면 한 게르에서 잠을 재우는 것을 전혀 흠으로 여기지 않는 자연스러운 양상이었다. 설사, 그녀와 그가 어떤 일을 의도적으로 저지른다 할지라도 다음 문제를 의식하지 않는 유목민의 문화를 어떻게 수용해야 할지, 그에게는 혼란스러운 일이 아닐수 없었다.

때문에 엥흐자르갈의 아파트에서 잤던 날 밤, 경계하고

조심스러워했던 것을 그녀는 어떻게 생각했을까, 하는 생각마저 들었다. 이 문제는 매우 중요하다. 좀 더 지나서 분명하게 다시 논해보겠지만, 이것을 세속적 욕망을 추구하는 형이하학(形而下學)으로 치부할 것인지, 관념적이고 정신적인 형이상학(形而上學)으로 받아드릴 것인지, 하는 중요한 문제다. 그래야만 원 유목민의 성윤리의 범주를 잣대로 재든지 말든지 할 것이다. 그녀 또한 이점을 가지고 어색한 기색이나 조금도 부자유스럽게 생각하지 않고 평소처럼 자연스러운 태도가 그는 놀라울 뿐이다.

어떻든 그는 마른 소똥을 오래된 토륵에 지피며 그녀와 밤늦도록 눈 덮인 겨울목초지의 낭만을 즐겼다. 덤붜[5])에 담긴 뜨거운 수테채를 따르며 그녀가 말했다.

"조부에게 말씀드렸어요. 조상의 전설이야기를 차강사르가 지나면 하실 거예요. 좀 더 확실한 말씀을 하시도록 양피지탁본도 한장 가져왔어요. 조부께서 말씀하실 때 보여드릴 거예요."

그가 바라는 것을 그녀는 예비하고 있었다. 그녀가 다시 말했다.

"참, 그리고 차강사르가 지나면 절 좀 도와주세요. 힘든

---

5) 덤버домбо : 구리주전자

일이에요."

"……."

"우물도 얼었고 강물까지 모두 얼어붙어 게르에 식수가 부족해요. 조부께서 강가에 얼음을 두텁게 톱으로 잘라놓았는데 그걸 게르에 옮겨놓으면 하나씩 녹여서 식수로 쓰거든요. 쌍봉낙타 양쪽에 매달린 광주리에 담아 말을 타고 끌고 오면 되거든요. 매년 제가 하는 일이예요."

"낙타를 끌고 가는 데 무슨 힘이 들겠어요? 게다가 말을 타고 가면 어려울 게 없는데."

"고마워요. 꽤 가야 하거든요."

눈 덮힌 겨울목초지의 적막한 게르의 밤은 우주의 에너지가 한곳으로 집약되는 느낌이다. 밤하늘 별을 보려고 게르 문을 나서자 그는 일순 깜짝 놀랐다. 대지와 하늘의 경계가 사라져버린 끝 모를 어둠 속 허공에 게르가 떠 있었다. 게르 문밖으로 발을 내디디면 별이 떠있는 밤바다로 허방을 짚은 것처럼 한없이 빠져 별무리 속에 묻힐 것 같은 착시를 일으켰다. 드넓은 고비의 평원은 하늘과 하나가 되어 별바다가 되어있었다.

그렇게 하늘과 맞닿은 대지의 어둠은 하늘과의 경계를

여지없이 무너뜨려버렸다. 수정체 속 유기물처럼 대우주 밤바다에 떠 흐르는 별무리들은 맑게 초롱거렸다.

손 끝에 별이 잡힐 것 같은 대지의 밤은 맑고 투명한 검은색이다. 그렇게 투명하고 맑은 머링호오르 소리가 애잔하게 들려와 가슴을 파고들었다. 단 두 줄의 단조로운 현에 손끝이 마찰되는 소리까지 들려오고, 바늘이 땅에 떨어지는 소리까지 들려올 정도로 대지의 밤은 고요하다.

엥흐자르갈이 토륵에 피어오르는 불길 속에 아르갈(소똥)덩어리를 몰아 넣고 불을 지피며 나지막한 목소리로 말했다.

"조부께서 머링호오르를 연주하고 계세요. 제가 태어난 이곳 구르반사이항 고비에서 아주 어릴 적에 저 소리를 들으며 잠이 들곤 했어요. 저의 자장가였죠. 저렇게 단순한 음율이지만 초원을 질주하는 영웅들의 전설이 담겨 있고, 조부님은 머링호오르 소리를 통해서 마음으로 그 옛날 주인공들과 만나며 감정을 나누는 거예요. 또 전설 속 조상들과도 만나 감정을 나누는 거라고 했어요. 조부께서 말씀하셨어요. 비통과 차강사르에 특별하게 오신 손님으로 우리집에 머물게 된 교수님을 위해 오늘 밤 머링호오르를 연주하실 거라고, 가족들은 교수님을 아주 특별한 손님으로 여기고 있어요. 그리고 차강사르에 손님으로 찾아온 것은 유목민들에게는 보통일이 아니어서 어머님과 조부님은 우리집안에 좋은 일이 생길 징조라고 생각하고 있어요."

그러면서 그의 침대로 건너온 그녀는 아주 자연스럽게 그의 손을 어루만졌다.

울란바타르에서 돈드고비를 거쳐 사일 동안이나 걸리는 먼 길을 버스로 오면서 몸을 기대는 것을 그는 함묵으로 일관 해왔다. 이처럼 그녀와 지속되는 환경 속에서 그녀의 가벼운 접근을 굳이 신경써가며 피해갈 이유는 대체 없었다.

아니, 분위기와 환경이 그녀를 거부할 수 없게 만들었기 때문에 어쩔 수 없었다고 핑게를 대버리면 그만 아닌가, 하는 군색한 생각도 들었다.

지금 그는 변화된 도시문명에 젖어들지 않은 고대부터 이어온 유목민 게르에 와있다. 그들은 딸자식이며 손녀인 엥흐자르갈이 그와 함께 밤을 지새는 일에 주저하는 기색이 전혀 없다. 의아스러울 정도다. 그들은 아주 자연스러울 뿐으로 우리사회에서는 결코 통용될 수 없는 일이다. 개화되지 않은 유목민출신가정에서는 울란바타르 도시에서도 아직 그런 관습이 남아있다는 것도 그는 이해할 수 없었다.

그의 일정은 단 하룻밤이 아닌 며칠이 될지 모른다. 차강사르 연휴가 보름이나 될 뿐 아니라, 목적하는 자료가 획기적으로 생길 경우 보충강의로 결강을 때울지라도 더 많은 일정을 여기에서 보낼 가능성도 배제할 수 없었다.

그러자면 긴 일정을 같이 보내는 동안 그녀와 무슨 일이 벌어질지 모른다. 이들 원유목민의 전통은 매우 특이하다. 그들이 무지해서도 아니다. 유목민의 역사는 길다.

암각화역사를 보면 석기시대 바위그림부터 14세기 몽골시대까지 나타난다. 고대부터 현대까지 유목은 지속되고 있다. 또 몽골은 유목을 빼놓고 어떤 다른 산업을 언급하기 힘들다. 그것은 몽골 인들의 보편적인 삶의형태이자 정치, 경제, 문화, 풍습의 전반을 지배하는 생활방식이 유목문화에 있기 때문이다.

드넓은 초원 게르와 게르 사이는 아주 멀다. 바로 옆에 있는 게르일지라도 말을 타지 않고서는 갈 수 없다.

초원 멀리 게르가 흰 바둑알 두어 개 가깝게 있는 것처럼 보이지만, 가자면 아주 먼 거리다. 때문에 유목민의 생활에서는 특별한 문화가 형성되고 이것은 전통으로 이어졌다. 이들의 이러한 관습은 자연스러운 사고로, 매우 이상적인 것이며 우리가 달리 본다면 바로 형이하학적인 미천한 생각일 것이다. 이렇게 한 공간에 같이 잘 수 있는 침대가 마련되어 있어도 그들에게는 별 문제가 없다. 우리 같은 문명사회의 표피적 인간들은 다른 침대를 쉽게 넘보고 마침내 건너가 당장 우를 범하는 것은 아닌가, 따라서, '우리의 사고에서' 라는 토를 달고 보면, 그 우리의 사고는 열려있는 게 아니라 오히려 닫혀있는 것인지 모른다. 다만 더 깊게 들여다보면 이러한 관습은 고대부터 종족보존의 문제까지 연결된다.

엥흐자르갈 문제로 생각을 돌려본다. 지금 몽골은 과거 유목과 현대문명이 공존하는 나라다. 전반적인 유목생활에서 도시정착이 시작된 것은 사회주의로 공포된 후 네그델정책(집단정책)으로 유목민들의 가축을 모두 몰수하면서부터다. 울란바타르아파트에서 고비의 유목민 게르에 몸이 옮겨진 것은 현대에서 과거로의 회귀와 같다. 바꾸어 말하면 유목과 정착이 분리되어 가고 있는 나라에서, 엥흐자르갈의 경우, 유목민가정의 딸로서 특이하게 공부를 위해 도시로 진출했고, 더구나 교육부에서 근무까지 한 도회생활을 영위한 특이한 경우다.

그녀는 현대화된 도시생활 속에서 많은 것들을 직접 보

고 느꼈을 것이다. 그리고 세속적 욕망도, 개방적인 생활도, 잘 이해하는 사람이다. 그런 인간적인 감정과 욕망을 그녀가 그에게 본격적으로 드러낸다 할지라도, 그것이 잘못된 것으로만 치부할 수는 없다. 그래서 그는 그녀가 진보된 이성적 작위를 본격적으로 드러낸다 할지라도, 설원속에 솟아오른 한 송이 꽃이 부끄러워하지 않도록 최대한의 자제로 그녀의 욕구를 비켜가기로 한다. 좋아하는 담임선생님 앞에서 부끄러워하는 어린학생으로 취급하기로 한다.

조부의 머링호오르 연주소리는 계속되었다. 양우리에 매어 놓은 말한 마리가 머링호오르 소리에 자신들의 조상 저능하르의 전설을 기억한 듯 길게 부르짖었다.

속삭이듯 그녀가 말했다.

"지금 조부님께서 부르는 가사를 알려드릴게요."

그러면서 그녀는 머링호오르의 서사시를 낮은 목소리로 낭송했다.

> 저 산 위에는 텡게르 신을 모시고
> 파란 강물은 평범하게 흐르네.
> 머링호오르로 몽골 준마를 연주하며
> 몽골어로 영웅의 노래를 부르네.

수백 년 동안 갈라지지 않고 친구였던
넓은 얼굴 갈색 피부의 몽골인
아침이슬의 흔적을 지워버린
잠깐 온 양치기가 노래 부르네.

그녀는 다시 낮은 목소리로 이야기를 이어갔다.

"오랜 옛날, 몽골동쪽 지경에 남질이라는 남자가 살고 있었어요."

"……."

"누구도 따를 수 없을 정도로 노래를 잘 부르기 때문에 그는 유명해졌어요. 그런 그는 군복무 때문에 몽골서쪽 지경으로 가게 되었대요. 그가 노래를 잘 부르는 것을 알게 된 장교는, 훈련을 시키지 않고 그대신 3년 동안 노래만 부르게 했지요. 그는 그때 아름다운 공주를 사귀게 되었어요. 그리고 그가 제대를 하게 되고 고향으로 돌아오게 되자, 사랑하는 공주는 그에게 '저능하르'라는 말한 필을 선물로 주었지요. 그 말은 덤불을 뿌리째 뽑고, 차돌을 사방으로 흩뿌리며, 바위도 산산이 부셔버리고, 바위 위를 달려도 미끄러지지 않으며, 덤불에 걸려도 넘어지지 않고, 나르는 새보다도 능력이 탁월하고, 보통 말과 비교할 수 없으며, 어떤 말보다 단연 뛰어나는데다가, 잘 달리는 특징을 모두 지녔으며, 위험할 때는 하늘을 날듯이 뛰어 오르고, 편안할 때는 천천히 부드럽게 걸으며, 자신을 보호해주는 주인을 태울 때는 그를 위해 충성을 다하는 남자의 반려가 되는 아주 좋은 말이었지요."

"그래서요?"

"허허어 남질이 그 말을 타고 고향에 돌아오자 사람들은 매우 놀랐대요. 그 말이 아니고서는 어떤 말도 타지 않는 것을 보고 모두 놀라곤 했대요. 그때 허허어 남질은 저능하르 말을 타고 몽골서쪽 지경으로 날아가 공주을 만나 사랑을 나누고, 아침이면 동쪽고향으로 돌아오곤 했어요. 이렇게 지낸지 3년이 되었지만 그와 같은 사연을 아무도 알지 못했어요. 허허어 남질의 집 가까운 곳에 부자이웃 하나가 살고 있었는데 그 부잣집 소녀는 아주 못된 성격을 가진 소녀였어요."

"……."

"중상모략을 잘하는 그 소녀는 저능하르 말이 보통 말이 아닌 것을 처음부터 알고 있었기 때문에, 허허어 남질에게 해코지를 하려는 마음을 품었지요. 허허어 남질이 사랑하는 공주와 만나고 돌아온 어느날, 그는 말의 땀이 식으면 새벽에 말을 풀어놓으려고 집으로 들어가 쉬었어요. 그때 말 발굽 소리를 들은 부잣집 소녀는 허허어 남질의 말이

온 것을 알고 깊은 밤 몰래 말을 묶어놓은 곳으로 갔어요. 아름다운 저능하르 말은 소녀의 못된 생각도 모르고 주인인줄 알고 좋아했지요. 그런데 그 소녀는 앞가슴을 이리저리 흔들며 좋아하는 말 겨드랑이에 감춰진 마법적인 힘을 가진 날개를 보고 말았어요. 소녀는 소매 속에 가위를 숨기고 가져와 저능하르 말의 날개를 잘라버리고 말았어요."

"으흥? 그리구요?"

그녀가 열심히 속삭이는 이야기에 그가 맞장구를 쳐주었다. 흥이 났는지 그녀는 머루눈동자를 깜박이며 이야기를 이어갔다.

"아름다운 저능하르 말은 신비한 힘을 가진 날개가 잘려버리는 바람에 곧 죽어버리고 말았어요. 새벽에 일어난 허허어 남질이 마굿간으로 갔더니, 그 훌륭한 말이 줄에 묶인 채 죽어있었어요. 그바람에 허어르 남질은 마음에 깊은 상처를 입고 비탄과 회한에 빠져들고 말았어요. 허허르 남질은 어느 날, 멋진 저능하르 말 머리 모양대로 나무에 새기고 정교하게 만든 머리부분에 긴 대를 연결하고 끝 부분에 몸체를 만들어 저능하르말가죽으로 몸통 부분을 감싸고 말총으로 정성껏 손질했어요. 그리고 두개의 줄을 팽팽하게 묶고 나무기름으로 문질러 줄을 튕기면 소리가 나게 했어요. 저능하르 말이 우는 소리, 걷고 달리는 소리를 그 악기에 들어가도록 했어요. 그래서 말머리를 가진 호오르(현악기)가 처음 생기게 되었어요."

"재미있는 전설이군요."

"그래요. 몽골민족은 기원신화가 아주 많아요. 세계기원 신화로는 지구가 생겨난 이야기랄지, 세상과 인간의 기원, 천둥이 치게 된 이유, 지구가 흔들리는 이유, 산과 물이 생기게 된 이유, 천체기원신화와 특히 씨족 및 부족기원신화도 있어요. 거기에 신앙관련 신화, 문명문화에 대한 신화, 인간기원과 의인화된 동물신화, 식물에 이르기까지 수많은 신화가 존재하는 나라랍니다."

"몽골신화들이 신비감을 주는군요."

"네, 그래요. 기회가 되면 더 많은 신화와 전설을 얘기해 드릴게요."

고비의 밤은 이렇게 깊어갔다.

6

비통과 차갑사르

“오늘은 비퉁날이에요. 이날은 많이 먹어야 일 년 동안 굶지 않고 잘 살 수 있다는 유목민의 풍습이 전해요. 많이 드셔요.”

우리의 섣달 그믐과 같은 비퉁날과 설날 같은 차강사르에 손님이 찾아오면 그것을 무척 반기는 유목민들은 엥흐자르갈을 따라온 그를 무척 반겼다. 설이나 추석명절에 상을 차리듯 그녀의 모친은 중앙 단워에 버어브를 쌓았다. 버어브는 일반 가정에서 홀수로 보통 3, 5단을 쌓지만 가계의 조상중에 자랑할만한 신분이 높은 선조가 있으면 9단 높이로 쌓는다. 그녀의 모친이 9단으로 높게 쌓은 걸 보면 영웅칭호를 받은 척트타이즈 조상이 있기 때문이라는 것을 그는 미루어 짐작했다. 그들의 풍습이 그렇기 때문이다.

비퉁은 몽골의 가장 큰 명절인 차강사르 전날로 우리의 섣달 그믐에 해당하며 묵은 해를 마감하고 새해맞이를 준비하는 날이다. 그믐날은 달이 없는 어두움이 극하고 새로운 빛의 전환을 준비하는 마디가 되는 날이라고 할 수 있다.

또 비퉁이란 빛이 없이 깜깜한, '막힌' 이라는 의미에서 생겨난 말이다.

비퉁맞이 음식을 준비할 때는 친척들이 서로 모여 도와주기도 하며, 비퉁을 위한 음식은 비투릭이라고 한다. 음식의 중심은 고기에 있다. 양을 삶아 목과 가슴살, 그 밖의 고기들을 놓고, 살과 기름이 많은 엉덩이 부분인 오오츠를 접시에 보기 좋게 담아놓고 여러 가지 차강이데와 버브를 차려놓는다.

여기에 수테채와 마유주나 낙타젖술, 우리의 만두와 유사한 보쯔, 만둣국과 유사한 반쉬를 준비한다. 비퉁행사는 해가 진 뒤부터 시작되고, 친척이나 손님들이 서로 방문하여 인사를 나누고 음식을 함께 먹는다. 차강사르는 몽골의 가장 큰 명절로 봄이 시작되는 음력 1월 1일, 즉 새해의 첫날을 기념하는 행사로 차강은 몽골어로 흰색을, 사르는 달을 의미한다.

몽골 사람들은 고대부터 흰색은 순결, 아름다움, 고결함, 행복의 상징으로 여기는 동시 사악함과 숨김없는 진실의 상징으로 여겨왔기 때문에 흰색을 매우 존귀하게 여긴다.

본래 차강사르는 몽골의 새해를 9월에 시작하는 가을에 하였지만. 가축의 젖 색깔이 하얗기 때문에 젖이 풍부한 달이라는 의미로 차강사르라 이름하였다. 13세기에 이르러 지금처럼 봄이 시작되는 첫날을 정해 기념하게 되었다. 이는 1206년 초봄의 첫날 테무친을 황제로 추대한 것을 기념하기 위해 바꾸어 지내게 되었다.

버어브는 길쭉하고 둥근 모양의 과자 같은 것으로 차강사르에는 상 위에 소담하게 올려놓는 것으로 우물 정자 모양으로 3단, 5단, 7단, 9단을 홀수로 쌓아놓고 층층마다 여러 가지 차강이데를 올려놓는다. 상단중앙 샤르터스는 우유제품 중 가장 좋은 것으로 신이나 조상께 올린다는 의미가 있다. 할하부족의 푸른 델과 붉은 부스를 허리에 두른 조부의 모습은 위엄이 있어보였다.

발효된 마유주 아이락이 조부로부터 권해오고, 그녀의 모친은 우리의 만두와 같은 보쯔와 양고기를 접시에 담뿍 담아주었다. 그녀는 조부와 무언가 한참 얘기를 나누더니 그에게 말했다.

“저랑 이웃 집에 다녀와야 할까봐요. 조부님이 말씀하셨어요.”

그러자 조부는 알았냐는 듯이 그를 바라보며 고개를 끄덕였다. 두 마리의 낙타와 삼십 여 마리의 양, 그리고 세 마리 정도의 야크를 치는, 외로운 노인이 지난가을 이웃으로 이동해 왔지만, 차강사르 명절에도 찾아 오는 가족이나 손님이 없으므로, 그녀와 함께 찾아주기를 권한 것이다. 이웃을 생각하는 아름다운 유목민의 심성이다. 모친에게 이끌려 그녀와 그는 셀렝게라는 이름을 가진 노인의 게르로 향했다.

이웃이라지만 말을 타고 가야 하는 먼 거리다. 셀렝게 노인의 외딴 게르에 이르자 그녀의 모친은"샘 베이노."하고 인기척을 알리자 게르 문이 열리며 셀렝게 노인이 나왔다. 그는 다가와 그가 안전하게 말에서 내리도록 말고삐를 잡아주었다. 왜소한 키에 주름이 가득 찬 갈색얼굴은 선하고 순박해 보였다. 손님의 방문을 진심으로 반기는 셀렝게 노인은 유목민의 모든 예법을 아주 진지하게 지켰다.

손색없는 대접은 물론, 그가 준비해온 작은 선물의 보답이 준비되지 않았던지, 500투그릭짜리 지폐를 봉투에 넣어 새뱃돈처럼 엥흐자르갈과 그에게 하나씩 내밀었다. 그가 사양하자 엥흐자르갈의 모친은 예법인만큼 받아야 한다고 귀띔했다.

찾아오는 손님을 반갑게 맞는 풍습이나, 이웃을 생각하는 유목민의 따뜻한 심성은 진정한 차강사르의 참의미다.
1216년 칭기즈 항이 차강사르 때 칙령을 내려 60~100세 노인들에게 국고의 재물을 풀어 포상을 내리고 100세 이상의 노인은 몸소 찾아가 인사를 나누었다는 기록이 있다.

셀렝게 노인의 손때 묻은 고귀한 선물, 500투그릭이 들어있는 봉투를 그는 지금도 간직하고 있다.

7

겨울목초지

산맥줄기를 내려덮은 구름 저편, 붉은 태양이 솟아오르는 고원의 아침이다. 대지의 눈발도 붉게 물들어있었다. 아득하게 보이는 산그늘에 진갈색 자작나무숲언저리가 평야를 가로지른다.

신 새벽에 일어난 그녀는 토륵에 불을 지펴놓고 얼음덩이를 솥에 녹여 세면 물을 뜨겁게 데워놓았다. 세면을 마치고 아침 식사를 마친 엥흐자르갈과 그는 두 개의 튼튼한 광주리를 낙타 등 양편에 매달고 강으로 향했다. 식수로 쓸 얼음덩이를 광주리에 담아 옮겨야 하기 때문이다. 초원의 유목생활이 편한 것만은 아니다.

겨울목초지에서 엥흐자르갈 그녀의 모습은 더는 울란바타르 현대여인이 아니다. 낙타를 다루는 솜씨하나에서도 익숙한 유목민의 생활모습을 보였다. 울란바타르 현대문명과 유목민의 구시대전통적인 삶이 그녀에게는 충돌하지 않고 공존하고 있었다.

"저 혼자, 다녀올 걸 그랬나 봐요."

"그렇지 않아요. 좋은 체험이죠."

엥흐자르갈은 그와 지내는 일이 시종 즐겁다. 미친 온도계의 수은이 영하 40도 아래로 내려가던 지난 1월, 몽골은 일년 중 가장 추운 때였다. 6개월 된 송아지꼬리가 얼어 떨어질 정도로 혹한이었다. 차강사르가 가까워오면서 추위는 조금씩 풀리기 시작했다. 영하 40도를 밑도는 추위를 견디다가 영하 26도만 되어도 봄같은 느낌이다. 그렇다고 평야의 눈이 녹을 일은 없다.

학과강의가 한참이던 어느 금요일, 국제교류처관리담당이 연구실로 오더니, 몽골기온은 피부로 파고들어도 감각이 없으므로 토, 일요일 밖에 나가면 일을 보다가도 30분이 지나면 주변 커피숍으로 무조건 들어가라는 주의를 주었다. 그걸 잊고 그는 봄날씨 같은 기온에 모처럼 시내에서 종일 지내다 온 것이 화근이 되어 열흘동안 강의도 못하고 죽도록 애를 먹었다. 그날 기온이 영하 26도였다.

"저기 보이죠?"

그녀가 손을 뻗어 가리킨 야트막한 구릉에 무수한 오방색하닥이 부둣가로 돌아오는 만선의 어선깃발처럼 펄럭이고 있었다. 돌무지의 어워[1])가 시야에 들어왔다.

"어워예요. 어워 아시죠? 저기만 지나가면 산맥에서 내려오는 강물이 있고 그곳에 조부께서 마련해놓은 얼음덩이를 나르는 거예요. 어워에 먼저 다녀오세요. 전 여기에서 절을 올려야 해요."

그녀는 어워를 바라보며 눈밭에 엎드려 어워를 향해 절을 올렸다. 그러면서 말하기를,

"큰 산맥줄기에 세워진 장엄한 저 어워는 알퉁어워에 속해요. 알퉁어워는 여자가 오르지 못하게 되어있어요. 공물올릴 것을 가져왔어요. 이걸 돌무지에 올려 바치고 소원을 말하면서 시계바늘이 도는 방향으로 세 바퀴를 돌고 오세요."

말안장가방에 담아온 하얀 샤르터스[2]) 한 덩어리를 그녀는 꺼내주었다. 눈발이 튀도록 그는 세차게 말을 몰고 돌무지가 높게 쌓여있는 눈 덮인 구릉으로 올랐다. 돌무지 중심봉우리에 세워진 나무기둥에 길게 이어진 줄에 빨래처럼 매달린 오방색 하닥[3])들이 깃발처럼 펄럭였다. 말에서 내린 그는 그녀의 당부대로 샤르터스덩어리를 돌무지에 올리고 세 바퀴를 돌았다.

---

1)어워/овоо : 우리의성황당과 같은 몽골의 자연신앙물

2)샤르터스/сартос : 하얀 버터

3)하닥/хадаг : 오방색의 비단 천

누군가 다녀간 오랜 흔적으로 색바랜 1,000투그릭 지폐 한 장이 돌 사이에 눌려있었다.

태양이 높게 떠오르며 햇살이 강하게 퍼졌다. 돌무지를 내려와 그녀를 따라 숲으로 들어가자 벽돌처럼 잘라놓은 얼음덩이들이 눈 덮인 얼음판 위에 쌓여있었다. 건조한 대기로 어름판을 걸어가면 습기가 전혀 없는 눈가루가 솜먼지처럼 양편으로 퍼지며 얼음판 표면이 드러났다. 얼음판은 자칫 넘어질 정도로 미끄럽고 넓었다.

저편에서 그녀가 이쪽으로 커다란 얼음덩이를 밀어주면 땅에 닿은 낙타 등 광주리에 담는다. 한동안 얼음덩이를 밀어주던 그녀가 미처 광주리에 옮겨놓지 못한 서너개의 얼음덩이 쪽으로 어름덩이하나를 세차게 밀어 볼링처럼 맞췄다. 볼링핀처럼 충격을 받은 얼음덩이들이 줄부채꼴 모양으로 사방으로 퍼졌다. 가장 세게 부닥친 얼름덩이는 아주멀리 미끄러져 눈 풀숲에서 멈췄다.

그녀는 어린애처럼 손뼉을 치며 환호했다. 그리고 가장 멀리 미끄러진 어름덩이를 발거름으로 세었다. 겨울철에 유목민들이 즐기는 얼음놀이를 그녀가 생각해낸 것을 그는 바로 알았다.

얼음판 위에 그녀가 나란히 놓아준 얼음덩어리 쪽으로 그는 얼음덩이 하나를 힘껏 밀어 맞췄다. 그녀가 또 환호했다. 그리고 가장 멀리 미끄러진 어름덩이를 발거름으로 세었다. 멀리 간 쪽이 점수하나를 먹는다.

서로의 눈빛을 바라보며 한참동안 즐기던 그가 멀리 밀려간 어름덩이를 발걸음을 세다가 미끄러져 넘어졌다. 그러자 얼른 다가온 그녀가 그를 일으켜 세우려다가 부둥켜 안고 같이 넘어지고 말았다. 그의 가슴팍 위로 자연스럽게 올라온 그녀는 이글거리는 머루눈빛으로 내려다보며,

"하이르타이 슈, 하이르타이 슈."

(Хайртай шYY/사랑해요,사랑해요.)

짧게 두 마디로 사랑을 고백했다. 그리고 뜨겁게 달아오른 입술을 그의 입술에 공격적으로 거푸 내리덮었다. 그녀의 호르강말가이가 벗어졌다. 그녀는 떨리는 목소리로,

"울란바타르로 돌아가고 싶지 않을 만큼 사랑해요."

그러면서 머루눈을 깜박이며 또다시 사랑을 고백했다.

그녀의 본격적인 고백이 충격이다. 아랫입술을 지긋이 깨물며 그녀가 무안하지 않도록 애써 표정관리를 했다. 그는 몸을 일으켰다.

이런 얼음놀이는 칭기즈 칸이 그의 가장 가까운 친구였던 자무카와 어릴 적 우정을 다지며 러시아국경 다달솜 델리운골락 오논 강에서 즐겼던 놀이다. 그들은 해가 질 때까지 종일토록 게르 뒷편에 얼음덩어리를 차곡차곡 쌓았다. 그 양은 다른 목축지로 이동하는 봄까지 먹을 수 있는 양이었다.

어둠이 닥쳤다. 조부는 탁자에 엥흐자르갈이 가져온 양피지탁본을 펼쳐놓고 13세기 조상 척트타이츠 시대, 가계의 전설을 상기하며 엄숙하게 앉아있다. 조부는 자신의 목축을 상속받을 아들이 없다는 것을 애석하게 생각한다면서 손녀인 엥흐자르갈이 훌륭한 남자를 만나 목축을 상속받을 아들을 낳고 가계를 이어가주기를 바란다는 소원을 어워에 기원해 왔다면서 그의 눈치를 살폈다.

몽골문명이 현대문화로 빠르게 변화되는 싯점에 손녀인 엥흐자르갈이 아들과 다름없이 조상의 가계내력을 보존하려는 집념에 대해서도 크게 평가한다고도 말하는 태도에서, 그에게 어떤 암시를 던지고 있는지 그는 알아차렸다.

더구나 그가 엥흐자르갈의 가계사에 큰 관심을 가지고 있는 것을 구체적으로 설명하자 조부는 크게 반겼다.

차하르부족과의 300년 전쟁이야기를 끝낸 그가, 소매를 걷어 올리고 양피지탁본표면을 거친 손으로 매만지며 입을 떼었다.

“조상의 전설에 의하면 이 양피지탁본의 그림은 전부는 아니지만 동굴에 새겨진 돌 그림과 똑같은 표본일세. 그러니까 바트빌랙이라는 조상께서 13세기 원 조상 척트 타이츠 시대에 새겼던 돌 그림이 있는 동굴을 찾아 들어가 종이처럼 최대한 얄팍하게 가공한 양피지를 물에 불려 바위벽에 밀착시켜 옮겨온 것인데 이렇게나마 가계의 내력을 보존하고 있는 것일세. 하지만 켜켜이 이어진 바위산맥 어느 동굴에 있는지, 알 수가 없기 때문에 그것이 안타까울 뿐이지. 다만 구르반사이항 고비의 아르갈리산양들의 은신처인 바위절벽의 동굴이라는 것만 알 뿐, 유일하게 동굴 위치를 알고 있는 조상은 몽골이 사회주의가 되면서 모든 가축을 몰수당하게 되자 거부운동을 주동하다가 반동으로 몰려 시베리아로 끌려가 처형되는 바람에, 후손누구도 동굴의 위치를 알 수가 없게 되었네. 대대로 우리조상은 자손이 번창하지 못해 태어나면 귀신이 잡아가지 못하도록 이름을 지어 목숨을 부지해왔네. 여러 형제가 있었지만 수명을 다하지 못했고, 어문고비 에르데느 솜에 살고 있는 내 막내동생은 헨취비쉬(아무도 아님)라고 이름을 지어 귀신 눈을 가렸고, 나는 훙비쉬(XYн биш사람이 아니다.) 라고 이름을 지어 목숨을 부지하고 단 두 형제가 지금껏 살고 있지 않은가, 지난 2004년 몽골대통령이름이 짜항후(Жаахан хYY/작은 꼬마)였는데, 눈에 띄는 큰 이름을 지어줬더라면 어디 대통령이 되었겠는가, 진즉 귀신이 잡아갔을지도 모르지. 오늘 내가 교수를 보는 것도 이름을 그렇게 지은 덕이지, 엥흐자르갈은 어릴 때부터 델을 뒤로 입혀 귀신의 눈을 피한 덕으로 지금껏 살아서 교수를 만난 것이 아니겠는가!"

"그렇군요. 그러면 차하르부족과 300년 전쟁을 하면서 동굴에 새겼다는 이야기는 여기서 끝나는가요?"

"아니지! 이렇게 끝난다면 어찌 우리가계가 자부심을 갖겠는가."

차하르부족과 할하부족의 전쟁이야기를 끝낸 조부는 조상의 전설을 다시 이어갔다.

8

돌 그림의 계승

자연의 위대함은 고비에 있었다. 아무 생물도 살지 않을 것 같은 구르반사이항 메마른 바위산맥 위대함이 그렇다. 그 장엄하고 위대한 산맥에는 바위 색으로 보호색을 띤 아르갈리산양들이 살고 있다. 가족들은 척트가 산양들의 서식처, 험준한 바위산맥으로 때때로 오르는 것을 알고 있었다. 하지만 그가 그곳에서 무엇을 하는지 아무도 알 수 없었다. 척트는 산양들의 유일한 서식처 동굴암벽에 조상의 내력을 기록하고 있었다. 혹한 속에서도 동굴 속은 따뜻했다.

그가 그곳 산맥으로 오를 때면 그의 부인 촐로앙은 언제나 새로운 양젖으로 정성스럽게 버터를 만들어 안장가방에 담아주었다. 바위산 알퉁어워에 올릴 공물이다. 촐로앙은 단 한 번도 척트의 하는 일을 묻지 않았다. 알려고도 하지 않았다. 그럴 수도 없었다. 신성한 바위산에서 남자의 일에 여인네의 관여는 금기였고, 보아서도 안 된다는 관습은 오랜 전통이다. 고비의 용맹한 족장 척트는 조상들이 대를 이어 숙명처럼 아르갈리산양동굴에 가문의 역사를 바위에 기록하는 일을 게를리 하지않았다. 신성한 의무였다.

“장손 뭉흐토야와 막내 엥흐아랄은 오늘 나를 따라 위대한 바위산으로 갈 것이다. 하늘과 맞닿은 위대한 산에는 아르갈리산양들이 평화롭게 살고 있고, 우리 할하부족 역사와 가계사가 그곳에 새겨져 있다. 뭉흐토야는 장손으로서 우리가계사를 기록하고 보존해야 하고, 엥흐아랄은 막내로서 가문의 화로를 지켜야 하지만 장부로서 볼 필요가 있다.”

건조한 눈발이 대지를 뒤덮고 먼지처럼 날린다. 척트는 두 아들을 이끌고 말가슴에 서린 땀이 얼어붙도록 세차게 말을 몰았다. 말(馬) 콧김이 얼어 매달리는 혹한의 추위다. 바위산에는 알퉁어워가 있었다. 말에서 내린 그는 어워에 공물을 올리고 어워를 돌며 위대한 산신과 텡게르 신에게 기원했다. 산양들이 깎아지른 절벽도 넘어다니는 길을 잘 알고 있는 그는 산양들이 들어가는 좁은 동굴 속으로 거구의 몸을 구겨 넣었다. 뒤따라 들어간 두 아들이 놀란 표정을 지었다. 동굴 속은 몸을 곧추세워도 될 만큼 높고 넓은 바위동굴이었다.

단 몇 발짝 거리에서도 동굴처럼 보이지 않는 입구는 어두운 바위그늘로만 보이는 곳으로 아르갈리산양들의 은신처며 서식처였다. 어두컴컴한 바위동굴안쪽에 몰려있는 산양무리들은 놀라는 기색도 전혀 없었다. 척트의 잦은 동굴출입은 그들에게 한가족처럼 친근한 존재로 인식되어 있었다.

"자, 모두 여기를 보아라. 대를 이어 고비족장으로 용맹을 떨쳤던 위대한 조상들이 우리후손들에게 염원하는 꿈과 희망이 담겨있는 여기를 보아라."

부싯돌을 마찰시켜 횃불을 만들어 비추자 뭉흐토야와 엥흐아랄은 다시 한번 놀란 표정으로 돌 벽을 응시했다. 그들은 암벽에 새겨진 부호와 이상한 부호들을 보았다. 그리고 신비한 듯 거친 손으로 바위표면에 새겨진 모양들을 매만졌다. 조상의 역사와 진실을 한눈에 보는 순간이었다. 그들은 이렇게 위대한 모양들을 조상들은 어떻게 새겨왔는지 알 수 없었다. 또 다른 부친의 위대한 면모에 그들은 자랑스럽고 존경스러운 마음이 더더욱 새로웠다.

"오늘은 너희들에게 조상의 내력을 새기는 방법을 알려줄 것이다."

그러면서 그는 산양의 마른똥을 암벽 밑에 쓸어 모았다.

그리고 부싯돌을 마찰시켰다. 부싯돌 끝에 불꽃이 튀었다. 척트가 긴 호흡으로 불자 불꽃은 연한 양털 솜에 붙었다. 산양의 마른 똥에서 향기로운 연기가 돌 벽을 타고 피어올랐다. 뜨거운 열기가 돌 벽 표면을 뜨겁게 달구었다. 척트가 아르갈리의 마른 똥으로 불을 다시 지피며 말했다.

"아르갈리산양의 마른 똥은 어느 가축의 똥보다도 뜨겁다. 이렇게 돌 벽에 산양 똥을 태워 뜨겁게 달구면 돌 벽은 정신을 잃고 만다. 돌 벽이 정신을 잃었을 때 날카롭게 만든 이 쇠 끌과 망치를 가지고 돌 벽을 파내어라. 쇠 끌이 없던 옛 조상들은 돌 끌과 날카로운 뼈로도 이렇게 파내고 긁어서 부호를 새겼다. 쇠 끌은 어렵지 않게 새길 수 있다. 이 모든 것은 조상대대 숙명처럼 해온 것이며, 너희 조부로부터 전해온 이 모든 것을 이제 너희들에게 알려주는 것이다."

"……."

"나는 이제, 이 바위동굴에 오르지 못할 것이다. 모든 것은 너희들의 의지에 달려있다. 우리조상들은 모두 이 고비에서 태어났고 너희들도 그렇다. 그만큼 고비를 신성하게 여겨야 하며 또 신성한 이 굴을 지켜온 아르갈리산양을 보호해야 한다. 이곳에 오를 때는 항상 활과 화살을 가져와 산양들이 늑대에게 쫓기면 구해줘야 한다."

두 아들은 뜨거워진 돌 벽에 손에 쥔 쇠 끌을 선뜻 댈 수 없었다. 조상의 숨결이 느껴지는 가계의 기록에 손을 댄다는 자체가 숨을 멎게 하고 손끝마저 떨렸다.

"자, 눈여겨 보아라."

척트는 두 아들 앞에서 거친 손으로 끌을 쥐고 솜씨를 보이며 다시 말했다.

"지금 몽골평원중심부는 어지럽기 이를 데 없다. 여러 부족들이 전쟁을 하는 와중이다. 다만 이곳은 변방이여서 크게 느끼지 못할 뿐이다. 부족장회의에서 테무친의 군사조직에 편입된 이 아비는 뭉흐토야와 유목민병사들을 이끌고 전장터로 나갈 것이다. 막내 엥흐아랄은 집안화로를 지키고 가족들을 보살펴라. 전장에서 아비가 잘못될 수도 있다. 그래서 조상의 가계역사를 기록하는 일을 너희들에게 보여주는 것이다."

두 아들에게 이렇게 이른 며칠 뒤, 아들 뭉흐토야와 전투복장을 갖춘 척트는 몽골평원을 어지럽게 하는 타타르부족과의 전투를 위해 자신의 상징 흑마에 올랐다. 그리고 유목군대와 기마병사들을 이끌고 여러 날 눈발 속 초원을 달려 카라코롬 테무친의 진영으로 달려갔다.

척트가 전장터로 떠나자 부인 촐로앙이 울적한 마음을 가누며 엥흐아랄에게 말했다.

"양 우리에 가서 건강한 암양 몇마리 끌고 오너라."

여러 번의 노력 끝에 엥흐아랄이 젖이 탱탱한 몇마리의 양을 끌어내오자 촐로앙이 젖을 짰다. 전장에 나간 남편과 장손, 그리고 유목민병사들의 무사를 어워에 기원하고자 공물로 바칠 샤르터스를 만들 참이다.

며칠동안이나 양젖을 휘젓고 응고시켜 새롭고 깨끗한 샤르터스를 만든 촐로앙은,

"엥흐아랄, 알퉁어워에 제의를 올릴것이다. 전장터로 나간 유목민병사들의 아내들을 불러오너라."

유목민병사아내들이 모이고 그들은 눈발 속 위대한 산으로 향했다.

하늘과 맞닿은 고산 뭇부리에 흰 구름덩이가 허리를 걸치고 누워있었다. 하얀 능선 어워의 오방색 하닥들이 깃발처럼 아우성쳤다. 바람에 펄럭이는 소리가 칼을 휘두르는 전장터의 긴장을 말해주는 것 같았다. 알퉁어워에 여자는 오를 수 없으므로, 어워로 올라간 엥흐아랄이 차찰을 올리고 고비병사들이 달려간 방향으로 수테채를 뿌리며 촐로

앙과 유목민병사의 아내들은 어워 아래에서 절을 올리며 모두의 무사를 산신과 텡게르 신에게 기원했다. 유목민의 삶이 그래왔기 때문에 촐로앙은 척트가 수없는 전장터를 들락거리면서도 불안한 마음 한번 가진 적이 없었다.

그러나 이번 만큼은 다시 보지 못할 것 같은 예감이 들었다. 험준한 고비에서 척트와 뭉흐토야가 없는 유목생활은 상상할 수 없었다. 척트가 떠나면서 유언처럼 내던진 말이 촐로앙의 가슴을 모질게 후볐다.

'만약, 내가 잘못되거든 나를 이 고비에 묻되, 흔적을 남기지는 말게.'

다시 보지 못할 것 같은 전장터로 떠난 척트와 아들을 그리며 모질게 후비는 가슴을 털어내는 촐로앙의 토올 소리가 바위산과 율림암 수직절벽을 울렸다.

이렇게 한차례 더 전설을 말하던 조부는 긴 이야기에 목이 말랐던지 엥흐자르갈이 수테채를 그릇에 따르자 한참동안 마셨다. 그리고 다시 코담배를 꺼내어 손등에 묻힌 뒤 코로 서너 차례 들이마셨다. 그녀의 가족사는 날을 새어도 끝나지 않을 것 같았다.

양 우리에 메어 놓은 말들도, 쌍봉낙타도 잠이 들었는지 가축들의 투레질소리도 들려오지 않는 목초지의 밤은 깊어갔다.

조부는 다시 입을 열었다.

"지금까지 엥흐자르갈에게도 말하지 않았는데 우리집안 전설을 교수에게 모두 하게 되는구료."

"조부님, 감사합니다. 그럼 척트와 뭉흐토야라는 두 분 조상들께서는 몽골통일전쟁에서 어떻게 되었나요?"

조부의 이야기에 깊히 빠져든 그가 다시 물었다.

9

13세기 몽골평원

조부는 14세기로 거슬러 올라 척트와 뭉흐토야, 두 조상의 과거사를 다시 이어갔다.

*

"몽골평원의 14세기는 여러 나라가 끊임없이 들끓는 전쟁소용돌이 속에 휘말려있던 때였네. 칭기즈 칸의 일생을 다룬 대서사시로 가장 오래된 '몽골원조비사(元朝秘史)'를 보면,

'별이 있는 하늘은 곤두박질치고 있었다. 여러 나라가 싸우고 있었다. 이불 속에 들어가 자지 못할 정도로 서로 빼앗고 있었다. 흙이 있는 대지는 뒤집히고 있었다. 모든 나라가 싸우고 있었다.'라고 기록되어있는데, 이때 밤낮없이 어지럽고 혼란스러운 몽골평원의 난세를 바로잡고 평정한 인물은 1162년 몽골동북쪽 러시아국경 오논 강 물줄기가 흐르는 다달 솜 델리운골락, 한 유목민가정에서 오른

손에 피 뭉치를 쥐고 태어난 칭기즈 칸 테무친이었지.”

“네.”

“그때, 몽골자연신앙 속에서 유목민들의 정신적 지주로 자연의 대변자 샤먼들은 테무친의 출생을 두고 테무친이 하늘의 뜻을 받아 몽골을 통합하고 칸(王)이 될 것이라고 다투어 예언했네.”

“네, 그럼. 몽골샤먼으로는 흑무당과 황무당 양갈래가 있는데 예언을 한 쪽은 어느 쪽인가요?”

“당연히 흑무당이 아니겠는가, 라마불교가 들어와 황무당을 만들었으니까.”

“그렇겠군요.”

“다시 말을 이어가겠네. 테무친은 귀족이었지, 그의 아버지 에스게이는 몽골부족장으로 그 이전 몽골족 칸이었던 통치자의 조카였어. 그러나 칸의 나이 아홉 살에 경쟁부족이었던 타타르부족에게 독살되면서 그의 가족들은 숨어 지냈는데 족장을 잃은 부족들은 살길을 찾아 뿔뿔이 흩어지고 말았지.”

“네.”

“숨어 지내는 동안 테무친은 17세에 보르테란 부족여성을 만나게 되고, 검은 단비가죽외투를 선물로 받게 되는데 당시 젊은이들은 검은 단비가죽외투를 예물로 받았지, 테무친은 그것을 가지고 중앙몽골부족인 키레이트부족장의 환심을 사는데 성공했고, 아울러 족장은 테무친을 자신의 수하에 두었네. 그 때 새로운 동맹에 위기가 찾아들었지."

"어떤 위기였나요?"

"경쟁부족이었던 북방 머키드족이 키레이트부족의 영토를 습격하여 보르테를 납치하고 말았네. 그러자 테무친은 가능한 모든 동맹부족과 자원을 모았고, 그 결과 머키드족을 쳐부수고 보르테를 구하는 데 성공했지. 이때부터 테무친은 권력을 키워나갔는데 다른 부족들과 동맹을 맺고 아버지의 신세를 졌던 부족들과도 친선을 유지해 나갔지. 당시 몽골평원은 나이만, 키레이트, 메르키트, 타타르, 몽골, 옹구트, 여러 부족으로 나누어진 부족들이 영토 확장을 하려고 힘의 각축전을 밤낮없이 벌이던 몽골의 가장 혼란스러운 시대로 역사는 기록하고 있네."

"……."

"그러니까 이 무렵, 구르반사이항 동굴암벽에 가계의 역사기록을 아들 뭉흐토야와 엥흐아랄에게 전수시킨 후 동맹부족으로서 고비의 수령이며 할하부족 족장이던 우리조상 척트께서 테무친의 군사조직으로 뛰어들어 힘을 합친 거지."

조부는 덧붙여 보충설명을 했다. 조부는 칭기즈 칸의 역사를 모조리 잡아 꿰고 있는 대단한 식자로 영웅가문의 후손으로써 손색이 없었다. 또 그를 만나게 된 것 또한 커다란 행운이었다.

"이제부터는 연대별로 나누어 말해주겠네."

"네."

"1200년, 금나라를 등에 업은 태무친은 몽골평원을 어지럽게 하던 타타르부족과 치열한 전투를 벌였는데 우리 조상 척트는 타타르부족과 달란네무르게 전투에서 승리의 기쁨을 함께 나누었지."

"네, 그리구요?"

"그러나 1203년 몽골중심지역을 차지하고 있던 키레이트부족과의 전쟁은 함께 결합하여 싸웠던 부족이 자기부족의 이익에 눈이 어두워 다음날 배신하는, 즉 오늘의 아군이 내일은 적군이 되는 가장 혼란스러운 여건 속에서 테무친은 힘겨운 전쟁을 치르고 있었고. 테무친의 전세가 힘겨웠다면, 이는 척트가 이끄는 유목민병사들도 힘겨웠다는 것을 의미했지, 이른바 칼라칼치트 전투로 척트는 매번의 전투에서 자신이 이끌고 온 유목민병사들에 대한 남다른 책임과 영웅적기질로 천호장으로서 그 책임을 다했어.

할하부족 족장이었던 용맹한 척트는 테무친군사조직의 천호장반열에 있었지, 또 테무친의 친위부대인 군사행정조직과, 비서군단조직인 중앙집권 특수조직으로 군지휘관들의 아들로 구성한 케식텐이 있었는데, 척트의 아들 뭉흐토야는 케식텐의 조직에서 반란이 일어나면 이를 제압하는 조직을 이끄는 중책을 가진 장군이었어."

"두 분 조상의 업적은 후대의 큰 영광이 되는군요."

"물론이지, 다시 말을 이어가겠네."

"네."

"그런데 1203년 칼라칼치트 전투는 예상치 못한 처참한 참패를 맛보아야만 했어. 테무친의 세력이 확장되자 처음 환심을 주고 함께 힘을 모았던 키레이트부족이 철저하게 테무친을 배신한 거야, 거기에 오랜 친구였던 자무카는 7개 부족을 통합하여 테무친을 공격했고 상당수 부하들이 자무카의 포로가 되고 말았네. 그리고 자무카는 테무친의 부하들을 70개의 뜨거운 가마솥에 산채로 삶아 죽였어."

"아-, 아주 잔인했군요."

"그러나 후일 테무친은 알타이산맥을 넘어 나이만부족과의 전투에서 승리하자, 자무카의 목을 자르지 않고 교수형으로 그의 시신이 온전하게 매장되게 하는 옛 친구로서의 마지막 우정을 지켰네."

"몽골통일영웅다운 처세였군요."

"기록을 보면 그때 칼라칼치트 전투에서 처참하게 참패한 테무친은 먹고 마실 것도 없는 발주라호수에서 전의를 상실한 19명의 부하들과 흙탕물을 함께 마시면서 부하장수들에게 이렇게 말하면서 결의를 다졌지."

"네."

'행복과 어려움을 같이 느끼면서 이곳에서 나와 생사고락을 함께한 너희들을 절대 잊어버리지 않을 것이다. 만약이 약속을 어기면 이 흙탕물처럼 될 것이다.'라고 말이야."

"네."

"이런 맹약은 상실된 사기와 전의를 북돋았고 테무친은 강한 충성심으로 재무장한 부하들을 되찾게 되었네, 이때 구르반사이항 유목민병사들은 천호장 척트수령의 지휘아래 테무친의 군영에서 맨 먼저 적지를 공격하는 기마군단의 선봉이었어."

"자랑스럽고 대단한 가문의 역사군요."

"두말할 여지가 있는가, 더 많은 비사가 있지만 요약해서 말했네."

"네, 그럼, 척트와 뭉흐토야 조상이 전장터에 가있는 동안 남은 가족들은 어떻게 생활했나요?"

"그, 이야기도 해주지."

그러면서 조부는 마디가 짧은 곰방대에 담뱃가루를 집어 넣고 불을 붙인 후 길게 한 모금 빨아 연기를 내뿜으면서 회한의 표정을 지었다.

10

척트의 가족

떼구름 덩이가 알타이산맥머리를 쥐어짜고 있었다. 돌산구릉으로 야생나귀들이 떼지어 뛰었다. 무겁게 보이는 두꺼운 뿔이 머리에 솟은 아르갈리산양들이 초원을 가로질러 오르막으로 이동하고 있었다. 그동안 척트의 막내아들 엥흐아랄은 이웃 덤버르마의 딸과 결혼하여 둘 사이에서 낳은 아들 타이방은 성년이 되어있었다.

여름목초지로 유목을 떠났던 척트의 부인 촐로앙이 뭉흐토야의 남은 가족과 불어난 말떼와 낙타무리와 양떼와 야크떼를 몰고 구르반사이항 고비로 돌아오고 있었다.

마상(馬上)의 엥흐아랄은 자작나무장대를 들고 가축무리의 외곽을 돌았다. 며느리 아이골리와 뭉흐토야의 아내 할리오나는 에스기와 펠트, 게르에 필요한 살림들이 잔뜩 실려있는 쌍봉낙타들을 이끌었다.

척트의 아내 촐로앙은 이제 나이가 들어 모든 살림을 며느리들에게 맡겼다. 그들을 반기는 건 홍고린엘스 사막에서 날려오는 세찬 모랫바람이었다. 엥흐아랄이 필요한 만큼의 게르를 세우는 데는 그리 오랜 시간이 필요하지 않았다.

이때, 조부의 이야기를 듣던 그가 엥흐자르갈을 바라보며 물었다.

"에스기와 펠트가 무엇인지……."

"그래요. 제가 말해드릴게요. 양털을 쌓아놓고 두드려 가공해 두꺼운 천으로 만든 것으로 흉노시대에도 있었어요. 일반적으로 주거형태로 게르를 이용한 민족은 터키, 만주, 몽골유목민들로 다양한 형태로 발전되다가, 7~10C경에 정착되었다고 보고있어요. 몽골주거형태의 게르는 에스기를 만들어 집을 덮을 때부터 시작되었고, 몽골게르역사는 2500~3000년의 역사를 가지고 있어요. 이런 증거는 어워르항가이 아이막 헙드 솜 데뷔쉉 벽화, 알타이 벽화 등에 나타나 있고, 게르 크기는 빈부의 차이에 따라 달라질 수 있고 게르 한 동을 짓는 데 30~40분 정도밖에 걸리지 않아요. 펠트는 게르의 지붕을 말해요."

하고 말했다.

이야기를 멈추고 있던 조부가 다시 말을 이어갔다.

게르를 세우고 나자, 척트와 아들 뭉흐토야와 유목민병사들의 생사여부가 궁금한 촐로앙이 말했다.

"엥흐아랄! 추워지기 전에 돈드고비 역참(驛站)으로 달려가 며칠이 걸리더라도 전령에게 부탁하여 아버지와 유목민병사들의 생사여부를 알아오너라."

"네, 어머니. 저도 궁금합니다. 서둘러 다녀오겠습니다."

"만만치 않은 길이다. 버르츠 지니고 가는 걸 잊지 말아라."

엥흐아랄이 길을 떠나게 되자 그의 처 아이골리가 안장가방 양편에 버르츠를 가득 담아주었다.

모랫바람이 초겨울 대지를 휩쓸고 모래알이 얼굴을 때렸다. 엥흐아랄은 돈드고비 역참으로 말을 몰았다. 역참이라는 이야기가 나오자 제도적기관이라는 짐작은 가지만 넓은 대지에서 어떻게 운영이 되었는지 궁금한 그가 다시 물었다.

"조부님, 당시 역참에 대해서 매우 궁금합니다."

하고 묻자 이야기를 이어가려던 조부는,

"이야기가 자꾸 끊기는데, 엥흐자르갈, 네가 설명해 주어라."

그러자 엥흐자르갈이 다시 말했다.

"네, 조부님. 제가 설명해 드릴게요. 당시 역참은 일정지역마다 역참을 설치해 여러 마리 말을 배치하고, 게르를 세우고, 이웃 역참으로 정보를 전하는 유목민전통 통신방법이었어요. 칭기즈 칸은 영토가 넓어지자 역참제를 군사목적으로 제도화하여 이용했지요. 역참제는 몽골 옛 수도이자 군수물자보급소였던 지금의 어워르항가이의 솜, 하르허릉인 카라코롬을 중심으로 각 지역에 역참병사들을 배치하여 유라시아지역을 거미줄처럼 엮어 가장 빠른 정보망을 구축했어요. 역참전령이 장애물이 생기면 그곳을 우회해서 정보를 가장 빠르게 전달할 수 있는 방법으로, 당시 전령은 게르게투라는 역참마패를 소지하였는데 역참패의 표면에,'영원한 하늘의 뜻 아래, 위대하게 모시며 잘 보호해라.'라는 글이 새겨있어요. 역참패는 역사박물관에 갔을 때 보셨잖아요? 전령은 다음역참에 정보를 전할 때 먼저 역참마패를 내보여야 했어요. 이러한 역참제의 체계를 학계에서는 현대의 인터넷 방식, 프로트콜 방식, 디지털방식이라는 극찬을 내리고 있답니다. 버르츠에 대해서도 말씀드릴게요. 버르츠는 양고기나 소고기로 말려 만든 육포나 그 가루를 말해요. 유목민전통음식으로 소 한 마리 분량이 소의 방광 안에 들어가지요. 이 분량은 병사 한사람의 1년 전투비상식량이었는데 버르츠가 있었기 때문에 칭기즈 칸은 중앙아시아를 휘어잡을 수 있었고, 유럽원정길에서 식량문제를 버르츠로 해결하여 승리를 거둘 수 있었어요."

엥흐자르갈의 설명이 끝나자 조부는 코담배 병뚜껑을 돌려 닫으며 말했다.

"알겠는가? 그럼 아까 이야기를 이어가겠네."

엥흐아랄이 고비를 벗어나 어문고비역참에 도착한 것은 이틀만이었다. 역참에 다다른 그가 부친과 뭉흐토야와 유목민병사들의 안부를 묻고자 왔노라고 말하자 역참대장은,

"천호장인 척트수령의 자제이며, 케식텐 장군아우 엥흐아랄을 잘 모셔라. 그리고 전령은 즉시 카라코롬으로 달려가 이 사실을 알리고 답변을 받아오라."

하고 명령을 내리고 몽골비칙그로 내려쓴 서찰을 받은 전령하나가 즉시 밖으로 뛰어나가 나르듯 말에 올랐다.

적어도 역참전령들은 군마를 빨리 모는 것은 물론 달리는 말 위에서 들쥐를 활로 쏘아 잡는 비범한 실력자가 아니면 할 수 없는 직책이다. 때문에 중간에 적에게 차단되더라도 최단거리로 몸을 피해 전령내용이 발각되는 일이 없이 명령을 수행했다. 엥흐아랄이 게르 문밖으로 나섰을 때는 카라코롬으로 달려간 초원에 전령의 군마는 사라졌고, 건조한 흙먼지만 시야를 가렸다.

전령이 돌아오지 않으므로 조바심이 쌓인 엥흐아랄에게 역참대장이 말했다.

“엥흐아랄, 걱정할 것 없네. 이미 우리몽골은 이제 곧 하나로 통합되어 곧 제국이 될 것이네, 천호장이신 척트수령과 뭉흐토야 장군께서 전사하셨다는 말은 들은 바가 없네. 오히려 두 분의 전과는 각 역참에서도 알고 있네.”

보름 만에 돌아온 전령은 부친 척트가 보내는 안부는 물론, 전쟁목표를 달성 후 공평하게 배정하는 테무친이 약속한, 많은 전리품까지 여러 마차에 싣고 돌아왔다.

척트는 말했다.

“나의 막내아들 엥흐아랄, 무엇보다도 내가 제일 신임하는 부하장수 덤버르마 장군의 딸 사이에서 아들을 두고 성년이 되었다니 매우 기쁘다. 가계를 계승할 것인즉 잘 길러라. 전리품은 고비로 가져가 유목민병사 가족들에게 공평하게 나누어 주어라. 호위병들이 이동을 같이해줄 것이다.”

라는 내용의 글발을 보냈다.

전리품마차를 끌고 엥흐아랄이 고비로 돌아온 것은 이렛만이었다. 전리품은 척트의 지시대로 골고루 배분되었다. 그 양은 일 년 유목을 하지 않아도 될 만큼 충분했다.

많은 전리품을 받은 유목민들의 게르는 늘어났고, 그들은 고비의 혹한 속에서도 따뜻한 겨울을 보낼 수 있었다.

11

몽골통일과 영웅의 죽음

13세기 초부터 시작되는 장구한 세월 속에 묻혀있는 가계사를 조부로부터 듣는 데는 여러 날이 걸렸다. 이야기가 깊어질수록 자랑스러운 조상의 역사를 눈으로 보는 듯 상기된 표정의 조부는 곰방대담배를 피우며 길게 연기를 토했다. 엥흐자르갈이 토륵에 지핀 말똥이 타오르는 소리에 세 사람은 더 깊은 밤 속으로 끌려들어가고, 바람기 없는 게르 공간에 조부가 내뿜은 담배연기가 고산허리를 가로지르는 구름처럼 연통허리를 자르며 흘렀다. 초원의 밤은 그렇게 깊어갔다.

'딱, 딱, 딱.'

조부는 다시 푸른 녹이 쓴 놋쇠재털이에 곰방대를 때리며 재를 털었다. 엥흐자르갈은 조부의 말문이 터진 것이 내심 기뻤다. 그토록 듣고자 했던 조상들의 이야기다. 만약 그가 몽골에 오지 않았더라면 엥흐자르갈은 평생 듣지 못할 조상의 이야기였는지 모른다.

엥흐자르갈 자신의 가계사는 평생 가슴에 간직해야 할 이야기일 뿐더러, 어떤 형태로든 글을 쓰는 그의 노트에 기록되고, 향후 도서화 된다는 점은 기쁜 일이 아닐수 없었다. 엥흐자르갈은 조부의 다음이야기가 이어지기를 기다리며 조부와 그의 앞에 놓인 대접에 수태채를 따라 부었다. 조부의 입이 다시 떨어지기를 재촉하는 것인지 몰랐다.

엥흐자르갈의 조바심을 읽었는지 조부는 수태채 한 대접을 비운 뒤 자세를 고쳐 앉았다. 그리고 엥흐자르갈과 그를 번갈아 보며 다시 말을 이어갔다.

"수없는 전장터에서 척트는 죽음의 문턱을 넘나들었네. 1204년 시라케이트 전투에서 여러 몽골부족 중 가장 큰 세력이었던 라이만부족과의 전투는 아주 힘겨웠어. 그러나 마침내 승리를 거두었지, 그리고 시라케이트 전투를 마지막으로 테무친은 몽골평원을 하나로 통합하고 비로소 제국의 형태를 갖출 수 있었네. 대몽골제국이 역사에 부상한 거지."

"대단한 역사 아니겠습니까?"

"그렇고말고, 다시 말하네. 1206년 테무친은 부족장회의 쿠릴타이에서 제국의 칸(王)이 되면서 역사에 부상하였네, 테무친이 칭기즈 칸으로 불리게 된거지."

"그럼 카안이라는 말은 주권자의 칭호인 왕(王)이라는 것은 알고 있는데 칭기즈의 뜻은 뭔가요?"

"깊게도 묻는구만, 칭기즈(Чингис)라는 말은 본래 바다(탱기즈/Тэнгис)라는 어원에서 생긴 말로, 아랍, 페르시아어에서는 치(ч) 발음이 없기 때문에 그를 찡기즈(Жингис)라고 부르게 되는데, 오늘 날에는 칭기즈라는 발음으로 통용되고 있네. 당시 부족중심사회였던 몽골에서는 부족장회의가 있었고, 그 회의는 전체부족의 의사결정에 중요한 역할을 했어. 또 대원정 때는 각지 수령들의 의사를 결정하는 쿠릴타이에서 칸은 힘을 얻었는데, 고비족장으로 천호장의 수령이며 전투에는 항상 기마군단선봉에 섰던 우리 조상 척트는 쿠릴타이에서 중요한 역할을 하였어. 그리고 몽골제국의 전쟁은 다시 시작되는데, 칸은 이웃나라 중국에 눈을 돌렸네. 1200년대 중국은 북부 친제국, 성제국, 시아시아국이 격한 내분으로 휩싸여있던 때로 칭기즈 칸은 타거드, 어거드에서 치룬 전투실험을 통해 자신이 참전하지 않고도 만족한 결과를 얻어냈고, 그 전투는 천호장 척트 수령이 이끄는 순전히 고비유목민병사들로 구축된 기마군단만으로도 쳐부술 수 있었다네."

"유목민병사들의 전투력이 대단했던가 봅니다."

그가 덧붙여 말했다. 그러자 조부는,

"차하르부족과 300년 동안이나 전쟁을 치른 부족이 아니던가……."

"대체, 그렇군요."

"몽골제국은 친제국을 치기 전에 먼저 가장 나약한 시아시아를 공격하여 그리 길지 않은 기간에 손쉽게 손에 넣고, 이어 호페이, 친제국, 샨퉁을 함락했어. 해일처럼 밀려드는 거대한 몽골제국의 힘에, 황제는 베이징 문을 열어줄 수밖에 없었지 뭔가. 그때 칭기즈 칸은 18만 대군으로 40km 떨어진 베이징을 아주 초토화시켜버렸다네. 그리고 엄청나게 많은 전리품을 챙겼지. 1214년, 견디다 못한 황제는 자신의 딸을 내줘야 했네. 열거하면 노예로 어린이 1,000명, 말 3,000필, 셀 수 없이 수많은 금과 은과 비단을 바쳐야만 했고, 몽골제국은 새로운 국면을 맞이했네."

"조부님, 대단한 몽골제국의 힘이었어요."

엥흐자르갈이 자랑스러운 표정으로 말했다.

조부는 다시,

"1216년 봄, 몽골초원과 고비의 대지가 초록으로 한참 물들어갈 때 몽골제국은 중앙아시아로 다시 눈을 돌렸는데. 몽골서쪽지방 광활한 대지에 무질서한 제국, 지금의 이란인 콰리즘의 샤라고 불리는 국왕은 무트라에서 몽골

케커벤(사신)을 무참하게 처형했어, 몽골사자를 궁으로 불러들여 참혹하게 처형한 것은 스스로 샤 자신의 죽음을 재촉했,고 제국의 최후를 자초한 결과를 가져왔네. 그것은 샤에게 통한의 실수였는데 카라코롬에서 역참전령병사로부터 사실을 보고 받은 칭기즈 칸 은,

'전쟁을 택한 것은 당신들이고, 어떠한 일이 일어나도 정해져 있는 것이며, 그 결과는 나도 모르오.'

라며 분을 삭였지. 그러고서 칭기즈 칸은 피 끓는 분노로 콰리즘을 아주 쑥대밭을 만들어버렸어. 몽골통일 후 고비유목민병사와 늘어난 많은 부하들을 거느린 척트는 콰리즘을 함락할 때까지 긴 세월 동안 무수한 죽음의 문턱을 넘나들며 수많은 전과를 올렸는데, 또 다시 이어지는 유럽원정전쟁에서 애석한 최후를 맞고 말았네, 그러자 자신의 오른팔이 잘려나간 것이나 다름없는 척트의 주검을 두고 칭기즈 칸은 애통하고 애통해 했지, 그는 이렇게 호령했네.

'고비의 족장이며, 천호장수령으로 좌군도 우군도 거부하고 가장 힘든 기마군단선봉에서 싸워줬던 그대여, 그대의 땀과 끓는 피가 아니었더라면 어찌 몽골통일제국이 있

었을 것인가, 그대여, 나와 함께 했던 그 뜻을 이루어 720개 다른 언어를 가진 세계를 정복하여 위대한 몽골제국의 건국을 선포할 것이네.'라고 말일세."

수많은 천호장수령들이 척트의 죽음을 애도했고 칭기즈칸은 포효하며 다시 부르짖기를,
'제국의 장졸들은 들어라. 몽골제국을 함께 세우고 명예롭게 죽음을 맞은 천호장 척트수령에게 영광된 타이츠(영웅)칭호를 부여하노라. 이제 천호장의 수령 척트타이츠는 유언에 따라 그의 고향 구르반사이항 고비에 묻힐 것이다. 그곳을 관장하는 역참대장은 서몽골 최고의 토올치들을 불러, 영웅을 노래하여 주검을 애도하고 장사를 지내어라. 많은 전리품과 300필의 말을 그 후손에게 줄 것이다. 카라코롬 역참대장은 이 사실을 고비에 즉시 알려라.'라고 명령했지."

조부는 회한의 눈빛으로 길게 연기를 토했다. 한기를 느낀 엥흐자르갈이 화로에 다시 불을 지폈다.

12

영웅이 떠난 흔적

북두칠성을 보고 길을 찾는 유목민들의 땅, 몽골의 서쪽 돈드고비 구르반사이항은 죄인의 유배지처럼 단절된 지역이지만, 위대한 바위산에는 몽골가젤과 건조한 기후에서도 소량의 수분만으로도 생존이 가능한 아르갈리산양들의 서식지이며, 생명수 같은 물을 잘 찾아내고, 땅을 파서 물을 먹는 보호동물 야생나귀들의 땅이자, 그곳에서 척트타이츠의 오랜 조상들이 태어났고 또 무덤 터이기도 했다.

척박한 고비에도 초원의 토대인 초록이 돋는 봄, 칭기즈칸의 군사조직 케식텐의 장군으로, 척트타이츠의 아들 뭉흐토야와 척트의 부하장수로, 기마군단을 이끌었던 덤버르마 장군이, 영웅의 상징인 주인 잃은 흑마를 선봉에 세워 많은 전리품과 300마리의 말떼를 몰고 돌아온 뒤, 화려하고 커다란 게르에 안치된 영웅 척트타이츠의 주검 앞에 그의 부인 촐로앙의 슬피 우는 소리가 끝 모를 어둠 속 고비의 밤을 적셨다. 뭉흐토야의 아내 할리오나와 엥흐아랄의 아내 아이골리가 눈물 짓는 촐로앙을 위로하며 뜨거운 수테채를 권했다. 촐로앙은 단 한 모금도 마시지 못했다.

“어머니, 먼 곳에서 토올치들이 왔습니다. 눈물을 거두십시오.”

뭉흐토야가 재삼 모친 촐로앙을 위로하며 눈물을 거두기를 청했다. 곧 십여 명의 토올치들이 의상을 갈아 입고 영전으로 들어올 터다. 망자의 영혼을 위해 토올을 부르고 연주할 터다. 덤버르마 장군이 그들을 영접하고 주검이 안치된 커다란 게르 안으로 들어왔다.

영웅의 주검 한편으로 촐로앙과 뭉흐토야와 엥흐아랄과 모든 가족들, 그리고 덤버르마 장군의 가족들과 이웃 유목민들이 자리잡았고, 반대편에 토올치들이 망자에 예를 올린 후 톱쇼르를 연주하며 영웅을 노래하기 시작했다. 뭉흐토야와 엥흐아랄은 토올소리에 묻혀 들려오는 부친 척트타이츠의 당부를 다시 들었다.

‘자, 모두 여기를 보아라. 대를 이어 고비족장으로 용맹을 떨쳤던 위대한 조상들이 우리 후손들에게 염원하는 꿈과 희망의 내력이 담긴 여기를 보아라.’

‘아르갈리산양의 마른똥은 어느 가축의 똥보다도 뜨겁다.

이렇게 돌 벽에 산양똥을 태워 뜨겁게 달구면 돌 벽은 정신을 잃고 만다. 돌 벽이 정신을 잃었을 때 날카롭게 만든 쇠 끌을 가지고 돌 벽을 파내어라. 쇠 끌이 없던 옛 조상들은 돌 끌과 날카로운 뼈로도 이렇게 파내었다. 쇠 끌은 어렵지 않게 새길 수 있다. 이 모든 것은 조상대대로 이어온 것들이다. 너의 조부로터 전해온 이 모든 것을 이제 너희들에게 알려주는 것이다.'

그러면서 동굴암벽에 조상들의 내력이 새겨진 돌 그림들이 적나라하게 떠올려졌다. 1,800㎞고비의 가장 큰 사막 홍고린엘스의 장엄한 사막에서 불어오는 거친 바람 속에 윙윙거리는 모래알 부딪치는 소리와, 토올소리가 대지를 울렸다. 몽골통일에 기여한 명예로운 영웅의 죽음이었던 만큼, 토올치들은 7만 줄에 이르는 대서사시를 사흘 밤낮 노래했다.

옛날 옛날에
다섯 영웅의 말등자 스치는 소리가 들리고
전쟁을 알리는 검은 기를 올려
만 년 동안 백성의 존경을 받았다.
멋있게 머리를 들고

춤추는 검은 말과
보석처럼 반짝이는 날카로운 칼과
창이 보인다. 〈생략〉

혼자 살아남은 것이 괴로운 척트타이츠와 사지를 함께 들락거리던 흑마가, 머링호오르의 전설에서 슬픈 저능하르처럼, 바위산이 울리도록 머리를 들고 길게 부르짖었다. 천호장수령들과 척트가 이끌던 기마군단 장군들과 부하군졸들이 영웅의 가는 길을 보려고 카라코롬에서 달려왔다.

그리고 상여길 만장처럼 펄럭이는 기마군단 깃발이 시야를 가리는 모랫바람 속에 300마리 말떼의 선봉에서 화려한 영구마차로 시신을 운구하는 덤버르마 장군을 뒤따르는 초원의 행렬은 장엄했다.

역참병사들과 고비유목민들은 위대한 산이 보이는 드넓은 초원에 영웅 척트가 묻힐 땅을 파헤쳤다. 장례를 주관하는 라마승들의 의식이 끝나고, 시신이 안장되는 순간, 촐로앙이 먹울음을 토했다. 모든 가족과 유목민들이 슬픔의 눈물로 망자를 위로하고, 천호장수령들이 절도 있는 동작으로 오른팔을 가슴에 올리며 경의를 표했다.

영웅이 흙 속에 묻히고, 라마승들이 물러가고 토올치들

은 톱쇼르를 연주하며 알타이막탈을 노래했다.

아주 먼 옛날부터 높은 나무들이
바람결에 흔들리고
버드나무들이 숲을 이루어
깨끗한 샘물에서
검은 담비들이 즐겁게 놀고
비옥하며 넓고 높다고 하네요.

모든 의식이 끝나자 덤버르마 장군이 척트타이츠의 상징 흑마에 올라 세차게 말을 몰았다. 그러자 300마리 말떼들과 기마군단장군들이 화려하게 장식한 군마를 몰고 흑마의 뒤를 따라 빠른 속도로 영웅이 묻혀있는 무덤 터를 중심으로, 천지를 뒤덮는 흙먼지로 회오리를 일으키며 질주하기 시작했다. 노도와 같은 수많은 말발굽에 거대한 면적의 대지가 천둥소리 속에 뒤집히고 곤두박질쳤다.

무성하게 일어나는 흙먼지가 위대한 산을 가리고, 순식간에 장막을 쳤다. 모래알 부딪치는 소리도 말발굽소리에 여지없이 잡혀 먹혔다.

한동안 말떼의 질주가 끝나고 모든 사람과 말떼가 떠나

간 뒤, 영웅이 묻힌 대지는 그 흔적도 알 수 없었다. 며느리들의 부축을 받은 촐로앙이 흐린 눈빛으로 흙먼지와 모랫바람에 뒤섞인 대지를 뒤돌아보았다. 전장터로 떠나면서 이르던 영웅의 유언이 들려왔다.

'만약 내가 잘못되거든 나를 이 고비에 묻되, 흔적을 남기지는 말게.'

영웅 척트는 초원대지에 단 한 줌의 흙으로 그렇게 흔적없이 위대하게 떠났다. 고비 유목민의 족장으로 칭기즈 칸의 군영, 천호장수령으로 기마군단선봉에 섰던 그의 주검위에 칭기즈 칸은 타이츠(영웅) 칭호를 부여했다.

*

단 한 마디도 놓치지 않고 그는 조부의 이야기를 속기록으로 노트를 채웠다. 그리고 메모지 한 장을 들춰보자 엥흐자르갈이 물었다.
"궁금하신 게 또 있어요?"
"궁금한 것이 어디 한 두 가지겠어요? 짐작은 가지만 토올 이야기랄지 토올치랄지 모든 것이 궁금하지요."

"그것도 제가 말씀드릴게요. 토올치는 다양한 형태의 공명통과 머링호오르처럼 2현으로 이루어진 몽골전통현악기인 톱쇼르를 가지고 토올을 전문으로 연주하는 사람을 말해요. 운문형으로 구전된 장편영웅서사시가 토올을 통해 구전으로 전해오는데, 노래를 직접 부르며 연주하며 얼굴과 몸으로 표현해요. 마음으로 그 옛날 주인공들과 영웅들을 만나며 감정을 나누는 거지요. 본래 무병장수와 토착신앙의 기원적인 의미를 지니며 노래가 있는 마을로 알려지는 서 몽골 알타이산맥 토트에서는 가을부터 긴긴 겨울동안 토올을 즐겼어요. 가을 첫 달에 보름달이 뜨는 날 토올치들을 집에 모셨고, 몽골사람들은 토올을 들으면 마음이 편해지고 기분이 좋아진다는 신앙적 의미를 가지고 있어요. 저도 그렇구요. 그러나 사회주의인민공화국시절에는 어느 집에서도 마음대로 토올을 할 수 없었고, 토올 자체를 배우기도 어려웠어요. 새벽 7시부터 저녁 9시까지 사상교육을 받아야 했기 때문으로, 6~70년대부터 토올을 할 수 있었고, 목자들은 초원에서 가축을 몰다가 휴식을 취할 때 토올을 즐겼지요. 몽골 토올치의 스승이라 할 수 있는 오루트나승과 아위드메트는 여름에 가뭄이 들면 알타이고비 만년설서 토올을 하라고 일렀어요. 토올치들은 사흘 밤낮을 7만 줄의 가사로 토올을 노래했는데, 가사 구

절에는,

> 이렇게 위대하고 정상에는 하얀 만년설이 쌓인
> 알타이 산과 항가이 산들이여
> 산허리에는 옅은 안개를 두르고
> 온 세상을 내려다본다.
> 남녀노소 모두 함께 축제를 벌려
> 어린아이들을 놀라게 하고
> 어르신들의 잠을 깨울 정도로
> 낮과 밤을 가리지 않고
> 사시 사철 즐거움을 누렸다. 〈생략〉

는 가사가 있고 토올치들은 뭔가 비밀스런 힘이 도와주지 않으면 7만 줄 긴 가사의 더워하드부흐를 부를 수 없다고 생각했어요. 토올하나를 완벽하게 하려면 8시간이 걸리고 보통 3~4일 동안 토올을 불렀다고 전해요. 하루 저녁에 3시간 정도를 쉬지 않고 부르는데 1~2만 줄에 달하는 긴 토올을 어떻게 외우고 어떻게 전승해 왔는지, 정말 비밀스런 힘이 토일치들에게 있는지 몰라요. 지금 토올은 한정된 지역 홉드아이막에만 존재하고 예술적으로 보면 한 사람이 모든 역할을 하는 완벽한 공연으로, 홉드아이막 홉드극장과 울란바타르 전통극장에서 외국인을 위해 공연하는데 언제 전통극장에 가서 토올연주를 보여드릴게요."

지금까지 조부가 말해온 이러한 사실을 더듬어 볼 때, 조상의 영웅을 기리기 위한 비문이나 돌그림의 부호로 능히 후손에 의하여 기록되었을 거라고 그는 믿어 의심치 않았다. 왜냐면, 돌궐 제2제국의 3대 카안에 걸쳐 행정수반과 군사령관을 역임한 톤유쿠크의 행적을 기념하는 비문이, 울란바타르에서 동북방 약 50km지점, 한 시간이 채 안 걸리는 거리, 툽 아이막 바인 초토크에 4m정도의 간격을 두고 기둥 형태의 돌 표면을 다듬어 투르크 문자로 2기에 구성되어 남북으로 세워져 있는 걸로 보면, 척트의 비문이나 돌그림의 부호까지도 어딘가에 기록되어있을 가능성을 짐작해보는 것이다.

놋쇠등잔불빛이 연기하나 없이 타오르는 게르의 밤, 조부이야기가 끝나자 한동안 침묵이 흘렀다. 조부는 코담배를 꺼내었다. 그리고 손등에 묻힌 뒤 코로 훅, 들이마셨다. 졸렸던 모양이다. 그러니까 지금까지의 이야기를 정리하면 엥흐자르갈의 원조상은 선사시대부터 할하의 귀족으로, 그녀는 귀족의 후손이라는 것을 의미했다.

고비족장이며 몽골제국건설에 혁혁한 공을 세운 칭기즈칸의 군영, 천호장수령이었던 위대한 척트타이츠의 후손이었다.

희미한 불빛에 조부의 구릿빛얼굴에 그늘이 졌다. 조부의 표정과 의연한 자세에서 그는 영웅의 기상을 느꼈다.

"자! 양피지 탁본을 다시 보게. 이제, 이것으로 무엇을 읽을 수 있겠는가!"

하고 긴 이야기를 끝낸 조부가 질문했다.

조부의 질문에 그는,

"양피지탁본에 보이는 기호와 형상에는 위대한 조상들의 영혼이 묻어 있고 유목민의 삶과 꿈을 의미하는 형용할 수 없는 무수한 부호와, 몽골제국의 위대한 힘과 바람이 주는 의미가 깃들어 있을 것이다. 이것을 암각화라는 단순한 유물로만 취급해서는 안되며, 후세에게 전하는 유목민의 정신적 부호로 보고 내면에 담지되어있을 위대한 진실을 읽어내야 한다."

라고 말하면서도 그는 스스로도 알 수 없는 무슨 말을 하는지, 아리송한 답을 우물거리고 있는 것만 같았다. 하지만 조부는 그에게 찬사의 말을 던졌다.

"이야기가 깊게 들어갈수록 한 꺼풀씩 걷어내는 교수께

서는 필시 양파 같은 사람이구려."

대화를 듣던 그녀가 물었다.

"조부님, 그러면 양피지탁본의 실체를 보면 정녕 조상들의 깊은 내면을 보고 읽을 수 있을까요?"

그녀는 돌 그림이나 암각화라는 말을 쓰지 않았다. 실체라는 말을 썼다. 그녀 또한 조부로부터 비로소 듣게 된 전설에서 단순한 돌 그림이 아닌 정신적 소산물의 실체로 받아들이는 것이다.

"하면, 이제 고비동굴을 찾아 가려거든 먼저 아르항가이 아이막 호통트에서 체첼릭 솜의 운드르올랑 지역과 바트쳉겔, 그리고 이흐타미르 강 유역을 뒤진다면, 어느 정도 거기에서 원조상들의 기록으로 여길 수 있는 돌 그림 형태라도 찾아볼 수 있을 걸세. 왜냐면 우리조상들이 이동했던 유목지 중 그곳은 고비 다음으로 길게 유목했던 장소였기 때문인데, 확실하지는 않지만 타이츠의 칭호를 받았던 만큼 비문형태의 유물이 존재했던 것으로 유래되지만 확실한 장소는 지금 알 수가 없고 다만 양피지탁본으로만 전승되고 있을 뿐이야."

그러면서 조부는 자신이 앉은 침대 곁에 불상이 모셔진 설작을 열고 깊숙한 곳에서 아래로 내려 쓴 몽골비칙그 문자로 희미하게 기록된 돌돌 말려진, 비문내용으로 추정되는 붉은 비단 천에 감싸진 양피지탁본 하나를 꺼내어 펼쳐보였다. 상상하지 못한 유물의 등장은 숨을 멎게 하였다. 흐려보였지만 필시 비문내용으로 추정할 수 있는 손때 묻은 언어들이었다.

피 끓는 질주로 적을 무찌르는 영웅을 노래하는 대서사시가 토올치의 입에서 토해질 때, 7만 줄 가사 첫 구절이 가장 높은 음으로 갑작스럽게 터져나오는 것 같은 충격이었다. 된침을 삼키며 조부는 다시 입을 열었다.

"만약 가거든 아르항가이아이막 소재지 호통트 솜에 살고 있는 엥흐자르갈 외숙부를 먼저 만나게. 유일하게 그가 돌 그림들이 있는 곳을 모두 알고 있어. 엥흐자르갈 외가쪽 모든 후손들이 고대부터 모여 사는 목축지역으로, 친가쪽 조상들의 유목근거지는 구르반사이항 고비로 항상 아르항가이아이막 초지가 풍성한 체체를랙 이흐 타미르 초원으로 대이동을 했고, 이곳 구르반사이항으로 가을이면 다시 되돌아왔는데, 대대로 그렇게 정해진 유목생활을 하면서 엥흐자르갈 어미를 그곳에서 데려와 우리가문과 결속이 된거지. 그래서 엥흐자르갈은 이곳 고비에서 태어났고 그곳에서 머물면서 주변초원에 드러난 바위그림들을 찾아보면 우리가계의 흔적을 찾을 수 있을지도 모르네. 그곳에서 비근한 것을 찾아보고, 원한다면 이곳 구르반사이항 일대 절벽동굴을 찾아 보게."

그러자 엥흐자르갈이 기뻐했다.
"그래요. 저도 호통트 외조모님이 보고싶어요. 뵙지 못한 지 11년이 넘었어요."
"외조모님이 살아계시나요?"
"네. 너무 멀어서 찾아뵙지 못했어요."
하고 말하자 조부가 말렸다.
"지금은 안돼. 하루 단 한 번 가는 버스가 눈 때문에 가지를 못해."
외조모를 보고 싶어하는 엥흐자르갈이 상기된 얼굴로 다시 말했다.
"외조모님을 빨리 보고싶어요. 날씨가 풀리는 대로 가기로 해요. 버스만 갈 수 있다면 지금이라도 외조모님을 뵙고 싶어요. 어차피 그곳 돌 그림도 봐야 하잖아요. "

제 2 부

흑화의 땅에 핀 꽃

1

이흐 타미르

물론, 울란바타르 역사박물관을 가면 암각화를 볼 수 있다. 그러나 상징적으로 보존된 것들을 제외하면 나머지는 생명력을 느낄 수 없는 모조품이다. 몽골암각화들은 초원대지에 풍화작용을 받은 모습그대로 자연스럽게 노출되어 있음으로서 그 가치를 지닌다. 때문에 과거 돌에 새겨진 유목민의 삶과 꿈을 피부로 느끼자면 훌렁 배낭을 메고 그들의 유목지로 떠나야 한다.

그가 아르항가이 초원에 노출된 암각화에 눈독을 들이는 이유는 그곳이 엥흐자르갈의 먼 조상 척트타이즈 후손들이 대이동을 했던 곳이며, 필시 타이즈 칭호를 받은 그에 대한 어떤 비문이나 이에 유사한 돌 그림이 끊임없는 초원 바람 속에 노출되어 있을지 모를 막연한 추론과, 그 실체를 볼지도 모를 한가닥 희망에서 비롯되었다. 하나 더 덧붙이자면 미학적 관점으로 볼 때 인위적으로 다듬지 않고 불균형한 바위표면에 묘사된 개체의 형태가 반추상표현의 세련된 기법으로, 현대미술의 어떤 장르에 견주어도 전혀 손색이 없다는 심미적 효과 때문이기도 하다.

지금까지 몽골 200여 곳에서 암각화가 발견되었다. 지속적인 조사에 그 수는 계속 늘고 있다. 역사적으로는 석기시대바위그림부터 기원전 15~12세기의 철기시대 바위그림과, 기원전 3세기에서 기원 후 1세기인 흉노시대, 7~8세기 돌궐시대와 9세기 말 키르기즈시대 바위그림과 13~14세기에 이르러 몽골시대까지 방대하게 이른다.

그가 가려고 하는 곳은 고대인들이 오랫동안 거주하였다고 볼 수 있는 몽골중심부, 아르항가이아이막 호통트 솜의 체체를랙과 이흐타미르 강변 일대로, 그곳 유목민들은 엥흐자르갈의 조부가 말한 그녀의 외가 쪽 모든 인척들이 오랫동안 거주해 오는 유목지역이었다.

정리해 보면, 조부의 말대로 엥흐자르갈의 외가 쪽 선조들은 그곳에서 대대로 목축을 해왔고. 구르반사이항 고비의 엥흐자르갈 부친 쪽 선조들이 대이동으로 간곳이 아르항가이 아이막 호통트와 체체를랙, 그리고 인근 운드르올랑, 바양올의 이흐 타미르 강 유역이라는 조부의 말씀은 사실이었다.

그 과정에서 친가 쪽 구르반사이항 유목민이 그 곳에서 그녀의 모친을 얻어 구르반사이항으로 데려왔다는 것, 또한 맞는 이야기로 정리된다. 그곳을 찾아 나선 것은 4월 중순으로 봄이라지만, 태양은 아직 남아있는 냉기의 방해를 받으며 대지의 잔설을 거두어가려고 안간힘을 쓰고 있었다. 갈색 톤 초원에 초록이 퍼지기 시작하고 있기 때문이다.

울란바타르에서 꼭두새벽에 일어나 달려온 초원의 거친 비포장신작로는 아예 버스가 통과하기 어려운 지점도 있었다. 예외 없이 가는 길 여러 곳 능선에는 어워의 오방색 하닥이 펄럭였다. 끊어진 신작로를 이탈한 버스는 평평한 초원을 달리다가, 다시 이어지는 거친 신작로 위로 기어올라 달리기를 수없이 반복하며 어워르항가이 볼강 라샹트를 지나 가까스로 다다른 땅, 도로의 능선 고갯길에 비로소 아르항가이 아이막 아취가 시선을 끌었다. 버스가 고갯길을 힘겹게 넘어서자 초원에 만들어진 작은 도시 호통트 솜이, 석양 속에 모습을 드러냈다.

단층가옥들의 하얀 벽, 파랗거나 빨간 원색지붕들, 반듯한 판자울타리에 하얀 게르, 동화 속 풍경처럼 작은 도시는 눈부신 아름다움으로 시야를 가득 채웠다.

읍단위 정도로 작고 평화롭게 형성된 해 저무는 도시는 조용했다. 태양은 초원저편으로 몸을 숨긴 지 오래지만 밤 10시를 넘어도 하늘은 환한 백야다.

몽골대부분의 솜은 어디를 가나 단층가옥과 게르가 공존되고 있었다. 도시를 관장하는 공공건물이나 학교와 은행 건물들은 거개가 2~3층으로 러시아양식을 띠고 있었다. 중국 화 된 내몽골에 비하면 오히려 러시아키릴문자의 상호들은 언제보아도 몽골과는 참 잘 어울린다. 도시 변각은 드넓은 초원으로 바로 이어지는 가축들의 목초지로 마을과 바로 인접되어있다.

배낭을 추스르며 이틀 동안 달려온 버스에서 내린 엥흐자르갈을 따라 그가 가는 곳은 그녀의 외갓집으로 그리 멀지 않은 곳에 있었다. 그녀가 자신의 배낭을 추겨 메며 말했다.

"말씀드렸지만 11년 만이에요. 외조모님은 막내 외숙부가 모시고 계세요. 세 분 삼촌은 더 먼 곳에서 목축을 하고 계셔요. 모두 뵙게 될 거예요. 물론 돌 그림도 막내외숙부의 안내를 받을 거구요."

초원을 헤매지 않고 고대유목민들이 새겨놓은 돌 그림

들을 볼 수 있다는 것과, 엥흐자르갈 선조들의 흔적을 찾아보기란 그리 손쉬운 일이 아니다. 어쩌면 그가 목적하는 일들은 그녀가 아니면 상상조차 어려운 일로 이 점은 대단한 기회가 되었다. 엥흐자르갈의 외가를 가는 길은 흙길에 허름한 판자울타리 가옥들이 늘어서 있는 변두리 오름길에 있었다. 골목길은 상상할 수 없다. 넓은 대지에 마을길이 좁을 이유가 없다.

기울어진 판자울타리 녹슨 양철대문 안쪽에 마당이 있고, 단층가옥과 측간사이에 외조모 게르가 있었다. 엥흐자르갈에게 이끌려 게르 안으로 들어섰다. 고적색(古赤色) 델을 입고 토륵에 올려진 솥에 하얀 수태채를 주걱으로 젓고 있던 그녀의 외조모가 깜짝 놀라며 그녀를 반겼다. 몽골유목민들에게 인척을 한번 찾아보기란 생각보다 쉬운 일이 아니다.

"외할머니!"

"아니…… 엥흐자르갈 아니냐! 어떻게 기별도 없이 왔어? 죽기 전에 너를 보지 못할 줄 알았다."

외조모는 외손녀인 엥흐자르갈을 한참 동안이나 부둥켜안고 양 볼에 번갈아 입을 맞췄다. 이내 눈물을 거듭거듭

훔친다. 그러면서 여러 안부를 물었다.

그녀가 외조모에게 그를 소개했다. 할머니는 양팔로 그를 안고 반겼다. 엥흐자르갈은 게르 중앙 단위의 불전(佛殿)과 조상들의 사진 앞에 무릎을 꿇고 합장한 뒤 한참 동안 고개를 숙이고 참배를 했다. 그녀가 불단에 놓인 손 법륜(法輪)을 한 차례 손으로 돌리고 몸을 일으켰다. 눈에 이슬이 맺혀 있었다.

그녀의 막내외숙부와 전형적인 몽골여인의 풍모를 가진 그녀의 외숙모와 조카들이 몰려왔다. 외조모가 권하는 수테채와 의례 유목민들이 내어놓는 음식을 먹으며 시간을 보냈다. 엥흐자르갈은 외숙부에게 이흐 타미르 강변 돌 그림 군락지 탐사목적을 말하고 도움을 청했다. 그는 다음날 새벽길을 가자며 그녀의 뜻을 받아들였다.

여기에서 다시 잠자리문제가 대두된다. 지난겨울 차강사르 연휴에 그녀의 조부 목축지에서 엥흐자르갈과 여러 날 단둘이 잠을 잤었다. 이번에는 외조모의 게르에서 다시 함께 밤을 지새야 한다. 게르에는 두 개의 침대가 있었다.

주인자리침대는 외조모의 자리다. 손님자리인 하나의 침대에서 엥흐자르갈과 함께 잠을 자야하는 곤욕스런 형편이었다. 창고하나를 사이에 둔 가옥은 말이 가옥이지, 게르 살림정도 들일 수 있는 작은 공간으로 방 하나에 주방의 경계 벽 아래 화로가 있고, 연통이 벽 속으로 이어져 지붕으로 나가있었다. 이를테면 불을 지피면 벽 안의 연통을 타고 벽이 따스해지면서 부엌과 방안온도가 높아지는 방식이다. 시골 솜이나 울란바타르 변두리 빈민촌, 부엌과 방 하나가 딸린 세멘가옥들의 난방도 이와 다르지 않다. 때문에 그가 잘 수 있는 침대는 따로 없었다. 그녀와 함께해야 하는 잠자리 역시 그들에게는 자연스러울 뿐이다. 받아들여야 하는 문화의 충돌이다.

지난 겨울처럼 내일부터 적어도 보름 정도는 초원게르에서 엥흐자르갈과 함께 보내야 한다. 갈수록 자신도 모르게 그녀에게 기울기시작하는 내면에 그녀와 무슨 일이 벌어질지 도저히 장담할 수 없다. 여하튼 문제는 이렇게 저렇게, 자연스러운 환경 속에서 애정을 던져오는 그녀에게 마음이 향하기 시작하면서 그들의 게르 문화를 형이상학적 사고로 과감히 받아들일 것인지, 아니면 그 범주를 벗어나 감정이입이 되어서는 안 된다는 고집을 계속 부릴것인지, 하는 생각도 해보지만, 이 문제를 가지고 자꾸 생각하는 자체가 세속적 사고의 근본뿌리를 버리지 못하고 있다고 결론지어 보면, 오히려 그것이 부끄러운 일인지 몰랐다.

원조상 때부터의 몽골의 가계사를 들여다보면 씨족 간 혼인을 맺거나 여자 편을 약탈하여 아버지가 누군지 분명하지 않는 집단으로 인척관계를 맺는 형태와 서로 다른 씨족들 간에 혼인을 하여 남편 또는 아버지가 분명한 한 남자가 한 아내를 갖게 되는 일부일처혼의 여러 형태를 거쳐 오늘날에 이르렀다. 방식과 형태에는 약탈혼이 많았고 매매혼, 정혼, 계약결혼 등이 있었다. 어떻든 그는 문화의 충돌이 주는 파상을 줄곳 감내하고 있었다.

여관이나 모텔을 생각하는 것은 이 넓은 초원에서 상상할 수 없지만, 설령 있다할지라도 여관을 권하는 문화자체가 혹 울란바타르에서나 생각해볼 일이지, 초원유목민들에게는 아예 생각조차 할 수 없는 일이다. 외조모는 작은 불기 호롱심지에 불을 붙였다. 희미한 불빛이 게르 공간을 비췄다.

엥흐자르갈이 화로에 말똥을 채우고 불을 지핀 후 침대에 잠자리를 준비했다. 울란바타르와는 다른 차가운 밤바람이 아르항가이 아이막을 휩쓰는 밤이다. 온종일 초원을 달려온 탓인지 피로가 엄습했다.

눕자마자 엥흐자르갈이 이내 깊은 수면 속으로 빠져들었다. 이틀 동안이나 버스에서 시달렸으므로 피곤한 모양이다.

새벽추위 속에 외숙부의 낡은 승용차에 몸을 싣고 호통트를 벗어나 끝없는 구릉사이 초원을 달렸다. 대지의 묘막(渺漠)히 먼 산들은 흡사 초원바다의 섬이다. 대초원 중심부를 휘가르며 내려다보이는 물비늘빛 햇살에 반짝이는 아름다운 이흐 타미르 강 줄기는, 거대한 아나콘다 한마리가 늘어져있는 것처럼 시선을 잡아 끌었다. 끊임없는 무수리바람에 휩쓸리며 만들어진 대지의 바람무늬 구릉능선과 부드러운 바위모습들도 오랜 세월 풍화에 다듬어져 각진 모습하나 볼 수 없었다.

몽골평원은 그렇게 정지된 자연으로, 잠자는 대지로, 시간도 멈춘 깊은 잠속에 빠져있는 자연그대로 숨쉬는 땅이다. 이흐 타미르 강줄기는 어느덧 시야 밖으로 사라지고 평원 멀리 아스라이 보이는 바둑알 같은 흰 점 네 개, 게르가 자리잡고 있었다. 이를 테면 엥흐자르갈의 외숙부들의 게르였다. 이미 외숙부의 낡은 승용차가 먼지를 일으키며 오는 모습을 보고 말떼를 몰고 나갔던 큰외숙부가 말을 몰고 달려와 게르 안으로 안내했다.

양떼와 말떼들이 머리를 땅에 박고 솟아오르는 초록을 뜯어 먹는 모습이 멀리 평화롭게 보인다. 그들에게 엥흐자르갈은 반갑고 귀한 존재였다. 따라서 그녀와 동행한 그까지도 그들에게는 반가운 존재가 되었다. 엥흐자르갈을 가장 반기는 건 그녀와 나이가 서로 엇비슷한 이종형제가 되는 나몽게렐이었다. 울란바타르에서부터 이렇게 여기까지 달려오는 데만 꼬박 삼일을 소모했다.

몽골평원은 봄기운이 번지고 있지만 밤이면 영하로 기온이 내려간다. 마지막 지핀 난롯불이 꺼지기 전에 잠이 들고 첫 밤을 자고 일어난 아침, 게르문 밖에서 세면을 하는 나몽게렐의 모습은, 유목생활에 물이 얼마나 귀한지 말하고 있었다. 칫솔도 없이 손가락으로 양치를 끝낸 그는, 물한 모금으로 입을 헹구고, 물한 모금을 입으로 손에 받아 얼굴을 문지르고, 또 한번 얼굴을 싯는 것이 세면의 전부였다.

아침식사는 간단한 타르그보따[1]) 한 공기다. 유목민들은 밥상을 차리지 않는다. 모든 음식은 말똥이 타오르는 토륵에 올려진 하나의 솥에서 만들어지며, 주어진 그릇과 수저

1) 타르끄보따/тарагБудаа : 야구르트에 쌀을 넣어 가공한 음식

하나씩 받아 여기저기 침대에 걸터앉거나 작은 간이 의자나, 아니면 바닥에 앉아 먹는다. 타르그보따의 경우는 마시면 되기 때문에 수저도 필요 없다. 양고기건더기가 있는 음식이나 초이방을 먹을 경우 수저나 포크가 필요하다.

타르그보따 하나로 간단한 식사를 마치면 새벽추위를 가르며 모두 가축들을 초원으로 내몰고 나간다. 소떼를 초원에 몰고 나갔던 나몽게렐이 돌아와 양 우리에 메어놓은 말등에 안장을 올렸다. 선 돌 암각화 군락지로 갈 참이다.

세 시간 동안 구릉을 넘고 넘어간 이흐 타미르 강변 초원에는 2,200년 전 사슴 돌 바위들이 게르 문을 남쪽으로만 내듯, 모두 남쪽을 바라보고 군락을 이루고 있었다.

마상(馬上)에 올라 앉은 그는 멍한 표정으로 널려있는 사슴 돌들을 바라본다. 무수하게 널려있는 선 돌 군락이다. 소름이 돋는다. 그는 다른 어떤 생각도 가질 수 없었다. 그의 표정을 한참동안 바라보던 엥흐자르갈이 말문을 트며 침묵을 깼다.

"계속, 그렇게 바라보고만 계실 거예요?"

벼르고 또 벼르며, 일념하나로 어렵게 찾아온 몽골평원의 땅, 유목민의 삶과 꿈을 새겨진 돌 그림들을 멍한 시선으로 바라보던 그는 가슴 깊게 저미는 충격의 파장을 느낀다.

"어서 말에서 내려오세요. 궁금해 하시는 걸 말씀드릴게요."

그녀가 재촉했다. 말에서 내려오자 자신의 말등에 기댄 몸으로 전문가이드처럼 그녀는 설명했다.

"인류미술의 발생지하나로 보는 몽골고대인들이 바위에 새겨 남긴 바위그림은, 대체로 서부와 중부, 그리고 남부 지방에 분포하고 동부지방에서는 드물게 발견되고 있어요. 이는 몽골의 자연 및 지리적 특징과 관련이 있고, 그곳은 산이 많은 지역으로 그림을 그리거나 새기는 데 적합한 바위가 많아요. 바위그림은 대체로 바람을 피할 수 있는 따뜻한 지역에 집중적으로 분포해요. 이러한 바위그림이 집중적으로 분포한 곳은 고대인들이 오랫동안 거주하였다고 추정할 수 있어요. 고대중앙아시아의 수렵민과 유목민들이 자신들의 희망이나 기원을 표현하여 후세에게 전하는 미술형태가 바위에 그림을 그리거나 새기는 방법이라고 할 수 있어요. 몽골바위그림에 대하여 최초로 출판된 정보로는, 알타이산맥 동부의 소하이트라는 지역, 바위에 새겨진 그림 중에서, 28개의 탐가(紋章)를 발표한 것으로 알려져 있고, 시대적으로는 여섯 가지로 분류하고 있어요. 석기시대 바위그림. 청동기시대(기원전 15~12세기) 및 초기 철기시대 바위그림, 흉노시대(기원전3세기)바위 그림, 키르기즈시대(9세기말)바위그림, 몽골시대(13-14세기)바위그림으로 분류하고, 제작방법에 따라 분류한 것을 보면, 붉은 안료로 그린 그림, 먹으로 그린 그림, 바위 면을 갈아서 새긴 그림, 날카로운 도구를 사용해 점이나 선으로 새긴 그림으로 학자들은 나누고 있는데, 이 가운데 새긴 바위그림이 그린 그림에 비해 훨씬 많은 지역에 분포하고 숫자도 많아요. 몽골바위그림은 중석기시대, 신석기시대, 청동기시대, 초철기시대, 고대와 중세에 제작된 것으로 분류해요. 또, 모티브와 묘사대상에 따라 분류해놓은 것을 보면, 인간생활과 관련된 그림, 즉 일상생활을 대상으로 한 것, 야생동물을 가축화한 동물을 대상으로 한 것, 집, 수레, 무기 등 물건이나 주거를 대상으로 한 것, 탐가(紋章), 묘사대상이 불분명한 것이에요. 지난겨울 다녀오셨던 툽 아이막의 망조르사원 터의 바위그림은, 종교적인 암각화로 6개의 불상과 산신이 새겨 있었죠? 그때 저에게 말씀하시기를 이것들은 암채화로 '음각표면을 삼원색 안료를 칠해 놓은 것이 특징이다.' 라고 하셨잖아요?"

"그래요."

이흐 타미르 강변 사슴 돌들은 선돌과 와석의 형태로, 그가 스스로 명명한 선돌 제1기는, 45도 각도로 지면에서 노출된 채 기울어 있었다. 상단은 태양의 표시와 추상적 문양과 새와 사슴과 다른 부호가 4면이 하나의 화면으로 연결된 바위그림이였다.

여기에서 그는 여러 곳의 선 돌 바위그림에서 엥흐자르갈과 더불어 미학적 관점으로 좀 더 깊게 고찰해 보기로 했다. 전체적으로 한바퀴 돌아본 그는 엥흐자르갈에게 말했다.

"여기에 산재된 사슴 돌 바위그림을 보면 아쉬운 점이 많아요."

"어떻게요?"

"왜냐면 많은 고고학자들이 이미 19세기 말인 100여 년 전부터 몽골암각화를 연구하면서 인류역사와 삶의 형태, 그리고 인류역사가 기틀이 잡힌 시기를 추정하면서 '몽골이 인류미술의 발상지 중의 하나.'라고 인정하고 있지요."

"네."

"그렇지만 더 이상의 미학적 고찰에 대해서는 자료에 있어서 아주 미미하다는 거지요. 그런 입장에서 보면 고흐나 세잔느, 마네, 모네의 후기 인상파 미술과 형태를 단순화시킨 마티스, 루오, 피카소 등의 시대를 거치고, 1960년대 한국미술사에서 엥포르멜 서정적 추상표현 이후, 모던아트와 유럽미술의 콕텍스트가 확산되면서 평면작업을 일탈하여 4면을 하나의 화면으로 보고 표현하기 시작하는 입체미술이 확산되던 1970년대 중반 이후 입체미술과 비교해보면, 이미 고대몽골유목민들은 암각화를 제작함에 있어 와석의 단면표현을 이미 탈피하여 선 돌 4면에 하나의 개념을 입체표현 하였는데, 이것은 미술사적으로 이미 진보하였다고 보여진다는 것입니다."

"와- 그렇게까지나요?"

"물론이죠. 더욱 반 추상 형태와 완벽하고 엄숙한 추상에 가까운 복합적 묘사는 선과 면에 있어 고도의 밑바탕이 유목민의 미적 감성과 그들의 손끝으로부터 표현되었다는 데에서 놀랄 만한 예술적 가치를 보이고 있다는 거지요. 이 점은 더 이상의 다른 이견이 요구되지 않을 뿐 아니라, 또 그만한 수준 높은 표현기능에 있어서도 소질을 가진 학생하나를 교육시킨다고 볼 때, 많은 연마를 통하여 내면의 미적 소질을 이끌어내고 개발시킨다손 치더라도 작가로서의 성공은 요원한 현실이라는 거지요."

"전, 미술을 잘 모르지만 대단한 분석인 것 같아요,"

선 돌 제2기는 2m 높이로 사슴의 추상적 형태와 사슴뿔을 길게 반추상으로 변형 표현했다. 다른 부호 역시 4면 공간에 적절하게 배열되어있었다.

선 돌을 제외한 와석의 경향을 보면 큰 것은 길이 1.5m의 크기에 사슴과 길다란 연속문양의 사슴 뿔 형태로 공간구성을 하였다. 육안으로 보는 암각화의 장엄함과 미적가치는 1년 열두 달 동안 파리 그랑팔레미술관의 구조화된 전시실을 모두 철거하고 하나로 터, 방대한 면적에 그대로 옮겨놓고 100년을 놓아두어도 될 만한 현대미술로서의 가치를 능히 보이고 있었다.

대체적으로 고대유목민의 미적 공간구성의 개념이 그들에게 있었던 것일까, 불규칙한 형태의 돌 화면에 빈틈없는 공간구성은 그들에게 미적 개념이 나름대로 성립된 것이 아니고서는 그렇게 표현되지 않았으리라는 지론이다.

다만, 이론을 정립시킬 수 있는 문자의 성립이나 이에 동반되는 생활문화의 발전이 없었을 뿐이 아니겠는가. 라는 결론을 그는 내려보는 것이다.

그러나 불가능한 일이겠지만, 그들이 돌 그림을 통하여 던지는 부호와 개체의 형상표현을 눈으로 보는 단순한 돌 그림이 아닌, 유목민의 내면 깊게 있었을 조형언어를 암호를 해득하듯 문자로 해석하여 유목민의 꿈과 메시지를 구체화시킬 노력이 필요하다는 주문을 해본다.

그가 다시 말했다.

"여기 돌 그림을 가지고 유목민의 자연신앙에 대두시켜 보면 특히 선 돌에 있어서만큼은 와석에서 볼 수 없는 상단에 구름형상과 태양표현은, 필시 '텡게르' 신에 대한 기원의 상징일 것이라는 추산을 해보면 자연신앙과 관련이 깊다고 여겨져요."

"네, 맞아요. 크게는 어워신앙을 들 수 있는데, 몽골은 산이나 물에 대한 자연신앙의 한 형태에 어워신앙이 있어요. 자연신앙의 신격이 의인화과정에서 생겨난 종교적 상징물로 볼 수 있고, 어워는 무엇을 쌓아올린다는 의미의 어월러흐(Овоолх)라는 단어에서 파생되었어요. 어워의 기원은 원시인들이 자연의 힘에 지배를 받으며 살던 때에 자연재해나 질병 등으로 고통을 받게 되었을 때, 주변지역 대지의 신, 또는 산신이나 물의 신이 노하여 재앙을 내린 것으로 생각하여, 신을 위무하려고 생겼다고 보아요. 이를테면 산과 물의 신이 깃드는 곳을 시각적으로 가시화한 표시가 어워로서, 어워가 언제부터 존재했는지 그 기원에 대한 구체적인 자료는 없어요. 역사적으로는 13C자료에 나타나고 이것은 신앙의 발전 단계로 보아 훨씬 이전 시대에 세워졌을 것으로 추측될 뿐이에요. 다시 말해서, 어워는 지신(地神)신앙의 종교적 상징물로 세워졌다가, 그 다음 단계

'천신(天神)신앙'을 흡수한 종교적 대상물이라 볼 수 있는데, 즉, 몽골의 어워는 최소한 샤머니즘의 초기단계 즈음에는 존재했을 것으로 학자들은 보고 있어요. 산이나 물에 대한 자연신앙의 한 형태에 어워신앙이 존재하고, 일종의 돌무지를 말하며 한국의 성황당과 유사한 신앙적 대상물로 해석해 왔다고 알려져 있어요. 맞는가요?"

"엥흐자르갈, 맞아요. 우린 그렇게 여겨 왔으니까."

"또, 어워는 유목생활과도 밀접한 관련을 가지고 있는데, 유목민들은 충분한 초지를 제공하는 대지와 그 초지를 가능하게 하는 태양, 눈, 비를 내려주는 하늘에 대한 무한한 감사와 경의의 마음을 어워에 드러내고 앞날의 삶을 가호하고 축복을 내려줄 것을 기원하며 어워를 세웠어요."

"여러 종류의 어워가 있던데……."

"네, 어워는 큰 산이나 언덕, 고개 위나 강, 호수, 샘물이 있는 곳, 초원 등에 만들어지고 먼 길을 떠날 때 높은 산이나 고개 위에 어워를 세워 방향타로 삼았어요. 또 어워는 초원의 험한 여행길에서 든든한 정신적 지주가 되었죠. 전쟁을 떠날 때에는 어워에 제의를 올림으로써 하늘에 비는 의식을 행했고, 형태에 있어서는 돌로만 되어 있는 것, 돌 위에 나무를 세워놓은 것. 타이가 지역의 나무 어워. 돌이 거의 없는 곳에서는 흙으로 된 것 등 다양해요. 가장 보편적인 것은 돌을 쌓고 맨 위에 기나 삼원색의 비단 천을 묶은 나뭇가지 등을 꽂아 놓는 형태로, 어워의 구체적인 종류로는 알퉁어워, 길 어워, 샘물 어워, 약수 어워, 초원 어워가 있고, 기념 어워, 경계 어워, 나무 어워 등 여러 종류가 있어요. 특히 알퉁어워는 어워 중 가장 으뜸으로 여자는 오르지 못해요. 장대하고 위엄 있는 산, 즉 버그드 산이나 하이르항 산 같은 곳에 세우는 어워로 해마다 정해진 날에 제의를 지내고 있어요. 어워가 있는 산이나 주변은 신성시하며 행동을 매우 조심하며 나무나 풀을 손상해서도 안 되고, 땅을 파고 구멍을 내거나, 사냥을 금하고 야수나 새를 놀라게 하거나, 주변을 더럽히는 행위를 금하고 있어요. 이것을 어기면 산신을 노하게 하여 재앙과 재난을 만나게 된다고 믿거든요. 어워의 돌무지에는 차찰을 올리고 시계바늘 방향으로 세 바퀴를 도는데, 어워에 오면 준비해 온 하득을 매거나 차찰로는 깨끗한 샤르터스, 유제품, 돈 등을 올려요."

"어워 하나만 가지고도 이야기가 길군요."

아르항가이 아이막으로 들어가는 인접길목 '길 어워' 에서는 불교법전이 들어있는 법륜을 차찰로 올려놓은 것을 볼 수 있다.

또, 호통트에서 체체를랙으로 나가는 길가 산 위의 알퉁 어워의 경우 아르갈리산양의 머리뼈가 차찰로 올려있다. 구르반사이항 길 어워에서도 역시 아르갈리산양의 휘어진 뿔이 붙어있는 육탈된 머리뼈를 차찰로 올린 경우도 있다.

어떻든 이렇게 암각화의 선 돌에서 나타나는 태양표현과 어워의 천신신앙의 관련성을 동일 층위에 올려놓고 견주어보는 것은, 아르항가이 아이막 호통트 솜으로 들어가는 인접초원에 태양과 구름과 사슴을 표현한 선돌에 어워처럼 푸른 하닥을 묶어놓고 오가는 이들이 그곳에 기원을 하는 것을 보면 그렇다는 것이다. 선 돌과 와석의 돌 그림들은 그렇게 소름이 돋는 감동을 던지며 암각화에 대한 그의 지적 호기심을 가일층 고양시켜 주었다.

다음날, 체체를랙과 운드르올랑을 거쳐 다시 달려간 바트쳉겔이라는 지명을 가진, 아주 깊고 깊은 곳을 찾아갔지만, 그곳의 비문이나 암각화에서도 엥흐자르갈의 조상 척트타이즈에 대한 기록의 흔적은 결코 발견할 수 없었다. 그것은 곧 척트타이즈가 아들 뭉흐토야와 엥흐아랄에게 돌 그림을 제작하는 방법을 전수시켰던 구르반사이항 위대한 바위산의 아르갈리산양동굴을 찾아내야 한다는 과제를 남겼다.

초원 바람이 이흐 타미르 강 유역을 휩쓸었다. 말머리를 돌렸다. 태양이 구릉 저편에 기울고 있었다. 무슨 말을 하고 싶었던지 엥흐자르갈이 말고삐를 당기며 가까이 다가오자 서로의 말등자 스치는 쇳소리가 바람을 갈랐다.

2

타미르 연가

5월 방학을 앞둔 시험기간이어서 대학의 학기는 바빴다. 봄이라지만 자고 나면 창밖에 눈이 쌓였다. 갑작스럽게 종일 불어오는 찬바람에 넣어둔 겨울옷을 다시 꺼내 입어야 할 때가 많았다. 학생들의 발걸음도 빨라졌다. 졸업시험을 앞둔 학생들은 아예 기숙사에 방을 얻어 시험 준비에 여념이 없었다. 유목민의 봄철이 바쁘듯 그 역시 바쁜 일정을 보냈다. 거기에 생일을 맞은 엥흐자르갈이 코디네이터업무 때문에 시골목축지를 갈 수 없게 되자, 유일하게 그녀의 모친이 목축지에서 찾아왔다. 그리고 그녀의 아파트에서 그와 함께 생일을 축하해주었다.

그녀가 생일에 입은 아름다운 푸른 비단 델은 그녀의 모친이 엥흐자르갈의 생일선물로 손수 지어 가져온 것으로, 앞섶은 여전히 뒤로 가 있었다. 하지만 어릴 때부터 그렇게 입어왔던지 손색없이 아름다워 보였다. 그녀가 주방에서 궁싯거리는 동안 나란히 앉은 그녀의 모친이 말했다.

"엥흐자르갈이 결혼에는 관심조차 없이 헛나이만 먹고 형제하나 없이 늘 우울해 하고 공부를 시켜 달래기에 늦은 나이에 뜻을 받아줬는데, 대학원을 졸업하고 다니던 교육부직장도 그만두고, 우리집안 가계사를 연구하실 교수님과 함께 일하게 되었다고 얼마나 좋아했는지 몰라요. 연구가 끝나면 떠나신다는 말씀을 들었는데……."

그러면서 말끝에 여운을 남겼다. 그녀의 모친은 다시,

"조부님이 연로하시고 아들이 없어 엥흐자르갈이 조부님의 목축을 상속받아야 하는데, 조부님은 엥흐자르갈이 사내가 아니라고 못마땅하게 생각하고 있어요. 얼른 결혼해서 사내아이라도 하나 낳는다면 가문도 이어가고 좋겠지만……."

"네."

"물론 몽골에 남자가 부족하기도 하지만 어떻든 남자를 들여야 사내아이 하나를 낳아서 그렇게라도 종족보존이라고 여기며 집안의 대를 이어가지요. 학교에 보내면서 조건을 그렇게 붙인 것은 아니지만, 이제 엥흐자르갈이 교수님 보필을 마치면 아파트를 정리하고 목축지로 들어와야 해요."

엥흐자르갈 모친의 입에서 종족보존이라는 말이 나왔다. 몽골에 남자가 부족한 것은 어제 오늘만의 이야기가 아니다.

부족전쟁이 많았던 이유도 있지만, 사회주의몽골시대에도 많은 남성이 살해되었다. 작금의 실태 또한 그렇다. 그가 맡고 있는 학과에는 40여 학생 중 남학생은 단 하나다.

몽골유목민의 종족보존 방법이 어떻게 이루어졌는지, 그는 다시 고찰해 볼 수 있는 영감을 그녀의 모친은 던졌다.
앞서 그녀의 선조 할하부족과 차하르부족의 약탈전쟁은 300년을 이어왔다. 거기에는 약탈혼이 만연했다. 심지어 집단으로 인척관계를 맺어 아버지가 누군지 모르는 가계를 구성할 정도로 여자가 부족했다. 선사시대에 유일하게 대가족을 이룬 부족은 할하부족이다. 강인한 병력으로 여러 부족들의 여자들을 약탈하였기 때문에 가능했을 것이다.

몽골부족들의 유목생활 환경과 전쟁역사 속에서 파생된 성비율의 부조화는 몽골 15개부족의 종족보존 위기로 이어졌다. 그래서 자녀가 남자나 여자친구를 데려오면 자연스럽게 함께 잠을 재웠다. 그것은 전통이 되고 엥흐자르갈과 그를 한 게르에서 잠을 재운 것도 이와 다르지 않다. 하므로 그 방식은 단순한 사고가 아니다. 아이를 생산하여 종족을 보존하고 대를 이어갈 수 있도록 자녀에게 환경을 만들어 주는 정신적 차원이라는 결론이 내려진다.

어떻든, 이렇게 저렇게 따져보면 부친을 모르고 형제하나 없이 자란 엥흐자르갈은 퍽 외로운 존재다. 더구나 척박한 고비에서 태어나 조부의 유목지를 떠돌며 어린 시절을 보낸 그녀의 유년기와 성장과정을 자세하게 알게 된것은, 아르항가이 아이막 이흐 타미르 강가에서다.

돌 그림의 모든 답사가 끝나자 그녀의 외숙부는 인척들이 지난 봄철 깎거나 솎아놓은 양털을 수거하여 솜으로가지고 나가 도매상에 넘기는 역할을 하였던 모양으로, 양털을 수거하려고 그가 바로 길을 떠났다. 그가 떠난 뒤 그를 기다리는 동안 둘만의 여유로운 시간을 가질 수 있었다.

"외숙부께서 오시려면 시간에 꽤 걸려요. 우리 이흐타미르 강으로 가요."

그는 목적에 쫓겨 스쳐만 보았던 멋진 이흐 타미르 강을 더 보고 싶었다. 둘은 말에 올랐다. 초록은 어제보다 더 넓게 대지에 물들어 있었다. 엥흐자르갈이 세차게 말을 몰고 앞서 달렸다.

몽골통일영웅의 후손으로 귀족의 피를 이어받은 엥흐자르갈, 치마를 둘렀을 뿐 때로는 남자와도 같은 기질을 보이는 그녀에게 그는 쉽사리 마음을 열어주지 못했다.

지난겨울, 그녀 조부의 목축지에서 차강사르 휴일을 함께 보내면서, 얼음덩이를 낙타 등에 실어 나를 때, 얼음판 위에서 미끄러져 넘어진 그의 가슴으로 올라와 이글거리는 머루눈빛으로 사랑한다는 고백을 했다. 그녀의 공격적인 키스를 받고서도 그는 쉽게 응하지 못했다. 아니, 결코 마음을 열어주지 않았다.

여러 날 그녀와 잠자리를 가지면서도 그것은 유목민의 단순한 전통일 뿐이라며, 세속적 욕망을 억제하고 이성적으로 대처했을 뿐이라고, 또 그래야 옳은 일이라고, 스스로에게 다짐하고 다짐했다. 그러나 호통트 외조모의 게르에서 그녀가 중앙불전과 조상의 사진 앞에 참배를 올리며 비친 눈물을 본 뒤, 그의 마음은 자신도 모르게 조금씩 흔들리기 시작했다. 또 그녀 가계의 전설을 파헤쳐 가면 갈수록 그녀는 더더욱 신비로운 존재로 느껴졌다. 그는 그 자신의 내면에 꿈틀대는 세속적 욕구가, 그리고 그것을 억제하는 이성적 몸부림이 오히려 유목민의 순수한 사고를 어긋나게 하는 것은 아닌지 깊은 번민에 휩싸여지는 것이다.

먼저 달려간 그녀는 강을 건너 그가 오기를 기다리고 있었다. 그는 세차게 말을 몰았다.

"그대로 반듯이 말을 몰고 오세요. 깊지 않아요."

강 머리에서 그녀가 조언했다. 강심물결마루에 다다르자 강물은 말 가슴까지 세차게 흘렀다. 그러나 곧 낮은 물살로 변했다. 무수한 세월의 바람 속에 다듬어진 바위산 돌 틈으로 드문드문 자란 자작나무들의 흰 빛깔이 햇살에 더욱 희게 보였다.

거친 물너울과 절벽을 거칠게 때리는 파도에 시달리며 멋대로 자란 오래된 자작나무고목들은 허리띠처럼 바위산을 끼고 길게 이어져있었다. 그녀가 안장을 차례로 내려놓으며 말했다.

"안장을 베고 누우세요. 피곤하실 텐데."

광막한 초원만큼이나 넓은 하늘이 가슴 벅차게 시야에 들어온다. 구름 한 점 없는 하늘이다. 선글라스를 벗고 싶었지만 자외선 때문에 벗을 수 없었다. 그녀가 말안장을 베고 곁에 누우며 말했다.

"이제 곧 가실 텐데, 저 역시 울란바타르를 떠날 거예요. 교수님이 가시게 되면 이제 조부님목축에 뛰어들어야 해요. 언젠가 말씀드렸죠! 그리고 몽골유목민은 막내아들에게 목축을 상속해요. 그런데 아버지는 돌아가셨고 제가 아들이라면 좋았을 텐데 조부는 그게 마땅찮은 거죠. 그렇다고 남자를 집안에 들인 것도 아니고, 그래도 제가 상속받을 수밖에 없어요."

"……."

"전, 자라면서 어머니를 목말라하며 유년시절을 보냈어요."

엥흐자르갈은 자신이 안고 있는 고독했던 유년의 베일을 스스로 걷기 시작했다.

"모계사회몽골에서 어머니는 신앙과 같아요. 제가 오직 의지하는 건 혼자 살아오신 어머니뿐이에요. 그래서 어릴 적에 늘 어머니 노래를 불렀어요."

그러면서 그녀는 푸른 하늘을 바라보며 어머니노래를 불렀다. 따라 부를 수 없는 특유의 높고 가는 음색이 평원바람을 타고 가늘게 흘렀다. 그 음색에는 그녀 내면의 고독이 태고의 지층처럼 응축되어있었다.

몽골의 아름다운 여인
어머니의 품속에는 생명의 젖이 있다.
어머니는 많은 가축들의 주인이시다.
무척이나 무척이나 생각이 난다.
이 세상 하나밖에 없는 우리 어머니……

그녀는 노래를 이어가지 못했다. 고개를 돌려 바라보자 까만 머루눈동자에서 흘린 눈물이 귓가로 가늘게 흐르고 있었다. 잠시 침묵이 흐른다. 강 건너 대안의 자작나무고목 아래로 흐르는 물이랑이 세찬 바람 깃발에 쓸려 바위를 때리며 철썩거리는 소리가 때 맞춰 들린다. 어느덧 그녀는 자신이 베고 있던 말안장에서 내려와 그의 팔을 끄잡아 스스럼없이 팔베개를 했다. 그리고 그의 가슴에 얼굴을 묻었다.

자신도 모르게 그는 처음으로 그녀를 살포시 안았다. 들바람이 강변자작나무숲을 무참하게 잡아 흔드는 소리가 들린다. 그녀가 바닥에 깔린 특유의 비킨의 목소리로 말했다.

"아버지를 모르고 자란 전, 여덟 살이 될 때까지 봄이면 며칠씩 불어대는 황톳 빛 모랫바람에 시야를 가리는 구르반사아항 고비, 조부의 게르에서 양들을 친구로 삼으며 자랐어요. 밤이면 조부는 자장가처럼 머링호오르를 연주했고, 저는 머링호오르 소리를 들으며 잠들곤 했죠. 그러다가 멀리 떨어진 에르데느 솜 초등학교에 들어가면서, 유목민의 자녀들은 공부를 하려면 어릴 적부터 기숙사생활을 해야 했기 때문에 어머니와 떨어져 자란 거죠. 유목을 끝낸 조부가 구르반사이항으로 돌아와 서너 마리의 양을 잡아 에르데느 솜이나 항 헝거르 솜 시장에 내다팔아 돈을 마련하면, 어머니는 학교기숙사로 찾아오곤 했어요. 조부와 어머니를 오래 볼 수 있는 것은 유일하게 여름과 겨울

방학 때였는데, 방학이면 기숙사로 찾아온 어머니를 따라 다른 목축지의 초원으로 갔고, 나는 그곳에서 말을 타고 양떼를 몰며 방학을 보냈어요. 다시 학교로 돌아가면 창문 밖 초원을 바라보며 어머니 생각에 전……. ”

다시 흐르는 그녀 눈물이 팔베개의 피부를 뜨겁게 적신다. 한참동안의 침묵이 흐른다. 마음을 추슬렀는지 그녀가 다시 말했다.

“모계사회인 몽골에서 어머니는 신격화되어있어요. 무속이 아니면서도 일종의 민간신앙으로 울란바타르에서 가까운 툽 아이막에 가면 어머니바위가 존재해요. 몽골국교는 불교지만 전반적인 생활 깊숙이 자연신앙이 자리잡고 있어요. 자연신앙의 대상은 자연물 전체를 대상으로 할 수 있고. 돌이나 물, 나무, 동물, 새, 대지, 산 , 별 등 자연의 대상물 가운데 어떤 특수한 형태를 가진 것들이 모두 대상이에요. 여러 가지 변천과정을 요약하여 한가지로 말할 수는 없어요. 몽골자연신앙의 원초적인 형태는 페티시즘(Fetisism), 즉, 물신(物神)신앙이죠. 자연물 그 자체가 초자연적인 힘을 가지며 마법적인 힘을 가지고 있다고 믿는 신앙의 원초적인 형태라고 보아요. 그 대표적인 형태가 자딩촐로로 비를 부르며 대기를 변화시키는 힘을 가진 돌로,

하늘의 화살 이라는 이름을 가지고 있어요. 고대몽골사람들은 이 돌이 하늘의 기원을 가지고 있다고 보았고, 높은 산이나 동물의 몸속에 있다고 생각했어요. 즉, 돌 그 자체가 어떤 마법적인 힘을 가지고 있다고 관념하고 이를 신격화하여 신앙하는 것인데, 돌무지인 어워도 이 페티시즘에서 기원한 신앙의 한 유형이라고 보고 있어요. 아까 말씀드린 툽 아이막 어머니바위는 치마를 입은 여인의 모습으로, 몽골사람들은 어머니바위에 가장 좋은 것으로 공물을 올리고 진심으로 자신의 소원을 간구하면 어머니께서 소원하는 바를 반드시 성취시켜 준다는 신앙적 속신을 가지고 있어요. 어머니바위 곁에 가깝게 있는 한 바위는 병을 치료해 주는 능력을 가졌어요. 그래서 어머니바위를 찾는 사람들은 대부분 자신의 신체 가운데 아픈 부분을 문지르며 치병을 소망하고 그래요. 이것은 페티시즘이 변형된 형태라고 볼 수 있어요. 하루 한차례 버스가 운행되는데, 기후에 따라 겨울이면 가지 못할 때가 많아요. 1년에 세 번 어머니바위를 찾는데 몽골사람들은 봄부터 공물을 준비하여 어머니바위를 찾기 시작해요. 지난겨울 저랑 가려다가 눈 때문에 버스가 운행되지 않아 가지 못했잖아요."

"그래요. 가지 못했어요."

유목생활의 특성도 있지만 먼 과거 고비족장으로 많은

유목민병사를 거느렸던 귀족으로, 몽골통일전쟁의 영웅 후손으로서, 강성한 탄력을 가졌던 그녀의 가계는 수없이 변해온 역사 속에 사회주의를 거쳐 현대에 이르는 동안 쇠락되었다. 지금 그녀의 가정환경은 대를 이어가기 어려운 퍽 외로운 가족구성 속에 있었다. 그녀가 아들이 아닌만큼 대는이미 끊어져 있지만, 그녀가 얻게 될 아들이 있다면 그것으로 집안의 대를 이어가는 것으로 여기는 것이다.

깊은 잠속에 빠진 듯 초원은 조용하다. 엥흐자르갈은 조용히 그의 가슴 위로 올라와 선글라스를 벗겼다. 그리고 눈물이 채 마르지 않은 얼굴을 무언의 호소로 비비며 자신의 입술을 그의 입술에 살포시 포갰다. 그녀의 어떤 애정표현에도 반응없이 표정관리만 해왔던 그는, 억제해오며 닫아두었던 벽을 허물고 비로소 마음의 문을 열었다. 숨이 멎도록 짙은 키스로 애정을 표현하는 그녀의 작위 모두를 서슴없이 받아들였다. 그녀가 나직하게 말했다.

"이제야 저를 받아주시는군요. 제가 이렇게 하는 것, 아무것도 전제하지 않아요. 다만 진실하게 사랑하고 있을 뿐이에요."

그녀는 오래도록 그의 가슴에 얼굴을 묻고 내려오지 않

았다. 그러나 변덕스러운 무수리바람은 그들의 사랑을 오래토록 허용하지 않았다. 푸르렀던 하늘에 일순 구름덩이들이 펴지면서 밀가루 같은 미세한 눈발을 뿌렸다. 그리고 그들의 체위에 회오리를 일으키는 질투를 던졌다.

대기의 강한 질투에도 그녀는 몸을 일으키지 않았다. 질투가 강하면 강할수록 더더욱 그의 가슴을 파고 든다. 그러나 대기의 질투는 오래가지 못했다. 어느덧 회색베일 틈새로 듬성듬성 보이던 푸른 하늘이 면적을 넓혀가며 다시 밝은 태양을 잡아끌어온 것이다. 바닥에서 물기가 스미는 감각을 느꼈다. 몸을 일으켰다. 그들은 다시 강을 건너 세차게 말을 몰며 초원을 달렸다.

"츄-츄[1]-."

밤색 가죽고탈을 신은 그녀가 일성으로 말채찍을 휘두르며 앞서 달렸다. 그녀의 호르강말가이 아래로 검은 머리칼이 바람에 흩날렸다. 뒤돌아본 이흐 타미르 강줄기가 석양 노을에 붉게 물들어 있었다.

---

1)츄-츄/цYY-цYY : 말 모는 소리

3

흑마의 주검

6월 졸업식이 끝나고 방학이 되자마자 엥흐자르갈과 그는 조부의 목축지로 향했다. 어느덧 그녀의 조부목축지에 머무는 것은 이제 자연스럽게 한가족처럼 여기게 되었다. 또, 엥흐자르갈 가계의 전설도 끝나지 않았다. 밤이 되자 다시 조부는 조상의 남은 전설을 꺼내었다.

*

몽골통일이 이루어질 때까지 척트타이즈의 상징으로 사지를 들락거리며 평생을 같이 살아온 그의 애마였던 흑마는, 자신의 등 위에서 몸을 돌리는 작은 동작하나만으로도, 주인의 위험을 알아차렸다. 맞붙어 칼을 휘두르는 전투 속에서도 앞에 보이는 적군마의 동작에서 위험을 의식하면, 흑마 스스로 몸을 피하여 척트타이즈의 목숨을 구해준 적이 한두 번이 아니다. 어찌 그런 흑마를 동물로만 여길 것인가, 그에게도 슬픔이 있고 눈물이 있었다.

토올치들의 토올소리 속에서 초원을 질주하는 영웅들의 전설을 들었고, 목숨을 거둔 영웅들을 만나고 감정을 느낄 수도 있었다.

어느 날 갑자기 자신의 등 위에서 느낄 수 있었던 주인의 체온이 사라진 지금, 가눌 수 없는 슬픈 공허가 흑마를 괴롭혔다. 척트타이츠는 살아생전 흑마를 메어놓은 법이 없었다. 그래도 흑마는 자리를 지켰다. 그는 눈빛 하나만으로도 척트타이츠의 의중을 알아차렸고, 먼 빛으로 눈길만 던져도 달려왔다. 그렇듯이 뭉흐토야도 아버지의 흑마를 매어놓지 않았다. 해가 뜨면 흑마는 300마리의 말떼를 스스로 몰고 초원의 풀을 뜯게 했다. 저녁이면 스스로 말떼를 몰고 돌아왔지만, 초원을 가서도 흑마는 풀을 뜯어먹지 않았다. 주인이 없는 삶에 의욕을 잃었다.

촐로앙이 흑마를 보면 척트타이츠를 그리며 말머리를 껴안고 슬퍼했다. 그러면 흑마의 기러기눈동자에 눈물이 고였다. 흑마는 자신이 갈수록 말라가고 있다는 것을 느꼈다. 고개를 돌려 뒤를 보면 뼈가 드러난 앙상해진 자신의 몸체를 볼 수 있었다. 강인했던 자신이 허약해져가고 있는 것을 느꼈다. 300마리 말떼 속에 그는 갈수록 말라가는 자신의 모습을 숨겼다.

몽골통일 후, 군영으로 돌아가지 않은 뭉흐토야는 엥흐아랄과 게르를 접기 시작했다. 다른 목초지로 떠나야 하는 날, 흑마는 결코 고비를 떠나고 싶지 않았다. 주인이 묻혀 있는 대지를 지키고 싶었다. 흑마는 다른 말떼에 자신이 가려지는 방향의 초원으로 질주했다. 그는 아무도 알 수없는 넓은 대지에서도 척트타이츠가 묻힌 무덤 터를 알고 있었다. 앞발을 들어 그곳을 파헤쳐 보지만 소용없는 일이었다.

이제 곧 뭉흐토야가 잔뜩 게르살림이 실린 쌍봉낙타와 양떼와 말떼를 몰고 고비를 떠날 참이다. 흑마는 자신이 선봉 마로서 다른 말들을 이끌고 가야 하는 것을 알고 있었지만, 마음이 다스려지지 않았다. 풀을 뜯어먹지 않고도 배고픔을 느낄 수 없었다. 그는 어지러움을 느꼈다.

전혀 먹지 않은 까닭이다. 다시 자신의 주인 척트타이츠와 함께 갔던 위대한 바위산으로 흑마는 달렸다. 마음갈피를 잡을 수 없었다. 척트가 들어갔던 아르갈리산양동굴을 먼 빛으로 바라보며, 척트가 나오기를 언제까지라도 기다렸던 그였다. 곧 쓰러질 것 같은 처연하고 애석한 그의 마음을 어떤 누구도, 다른 말들도, 야크도, 쌍봉낙타도, 양들도 알 리 없었다. 뼈가 앙상하게 바짝 마른 그는 어디를 가도 주인 척트타이츠를 느낄 수 없었다.

그를 느낄 수 있는 곳이란 그가 묻힌 무덤 터 뿐이었다. 300마리 말떼의 선봉에서 덤바르마를 등에 태우고 무덤 터를 질주하며 주인이 묻힌 흔적을 지웠지만, 흑마는 주인의 무덤터 위치만큼은 기억할 수 있었다. 몽골 말은 아무리 멀리 가서도 자신이 태어난 곳과 처음 물을 먹은 샘터를 찾아간다. 하물며 죽음의 문턱을 평생같이 넘나들었던 주인 척트의 무덤을 어찌 잊을 것인가…….

홍고린엘스 모래 턱에서 불어오는 모랫바람이 무덤 터를 휩쓴다. 바짝마른 목을 길게 올리고 부르짖던 흑마가 무덤 터를 미친 듯 앞발로 파헤친다. 모래 섞인 흙만 튈 뿐이다. 까만 밤이 동이 틀 때까지 흑마는 무덤 터를 파헤쳤다. 그리고 종래 쓰러지고 말았다. 소용없는 일이다. 위대한 바위산 너머에서 붉은 태양이 떠오르고 햇살이 퍼졌다. 흑마의 주검을 본 독수리 떼들이 까맣게 날아들었다.

뭉흐토야의 가족들은 가축떼를 이끌고 홍고린엘스에서 불어오는 모랫바람을 뒤로하고 풍성한 목초지를 찾아 유목길을 떠났다. 게르가 사라진 황량한 대지에 고비의 모래알 부딪치는 소리가 끊임없이 들려온다. 흑마가 보이지 않는다는 것을 알게 된것은 고비를 벗어나 다른 목초지에 게르를 세우고 하룻밤이 지난 뒤였다. 끊임없는 모랫바람과 사물이 흐려진 시야 속에 뭉흐토야는 흑마의 부재를 의식하지 못했다. 흑마가 보이지 않으므로 다른 말들이 갈피를 잡지 못했다. 그제서야 그의 부재를 알았다.

몽골 말은 가족과도 같다. 부친과 평생을 같이 해왔던 그는 마음을 잡지 못하고 어디에선가 방황하고 있을 것이다. 다시 돌아가 찾고 싶었다. 그러나 포기했다. 늘어난 말떼와 다른 가축들을 남은 가족들로는 관리가 불가능했다.

그러나 영리한 흑마는 결코 돌아올 것이라고 뭉흐토야는 믿고 또 믿었다. 하지만 목축지를 이동하며 한 해가 다 갈 때까지 흑마는 결코 돌아오지 않았다. 독수리 밥이 된 그가 돌아올 리 없었다.

가을이 접어들었다. 겨울을 나려고 뭉흐토야는 다시 구르반사이항 고비로 돌아왔다. 그리고 곧 겨울이 닥쳤다. 하얀 눈이 대지를 덮고 바람에 건조한 눈이 쓸리고 기온은 한없이 내려가기 시작했다. 겨울이 깊어가자 뭉흐토야는 부친 척트 영웅을 이제 기록해야 한다는 생각을 굳혔다. 며칠 동안 그렇게 다짐을 거듭한 끝에 몇 차례나 아르갈리산양들의 겨울은신처 동굴로 들어갔다. 그리고 산양의 마른똥을 돌 벽 아래에 쓸어 모으고 부싯돌로 불을 붙였다. 뜨거운 불길에 돌 벽은 정신을 잃고 뭉흐토야는 그곳에 척트타이츠의 영웅사를 새겼다. 뜨겁게 달구어져 정신을 잃은 돌 벽은 날카로운 쇠 끌에 밀려 뭉흐토야의 생각과 염원의 형태와 부호들이 각인되었다. 그는 가능한 섬세하게 쇠 끌로 형태의 선을 파낸 후 표면을 돌 끌로 다시 문질렀다.

눈 덮인 고비의 겨울은 그렇게 깊어갔다. 얼마 동안이나 동굴암벽에 뭉흐토야는 부친 척트타이츠를 기록하는 일에 심혈을 기울였다.

밖은 극도의 온도로 기온이 하강하고 있었다. 반달칼을 든 부친의 모습을 돌 벽에 새기는 날을 특별한 날로 정했다. 뭉흐토야는 모친 촐로앙이 그랬던 것처럼 부인 할리오나에게 새로운 양젖으로 샤르터스를 만들어줄 것을 당부했다. 그리고 그것을 말안장에 담아 다시 게르를 떠났다.

그날따라 율린암 수직절벽을 타고 위대한 산으로 눈바람이 세차게 불었다. 바위산에 다다르자 뭉흐토야는 능선알퉁어워로 올라가 부친이 그랬듯이 눈 덮인 돌무지에 샤르터스를 올리고 산신과 텡게르 신에게 기원을 올린 다음 동굴로 들어갔다.

따뜻한 동굴 속은 돌 벽에 새기는 작업에 전혀 추위를 느낄 수 없는 환경이다. 항상 조용했던 산양들이 다른 때와는 달리 유독 불안해 하는 동작을 보였다. 그러나 뭉흐토야는 개의치 않고 영웅을 새겼다. 영웅에게 빠질 수 없는 것이 있었다. 그것은 부친의 상징, 부친과 평생을 같이한 흑마다. 그때서야 그는 필시, 척박한 초원 어딘가에서 쓸쓸하게 죽었을 거라는 생각에 가슴이 뭉클 저밀며 흑마에게 애석한 마음을 가졌다.

몽골말은 몽골인에게 한몸이며 가족과도 같다. 평소에는 함께하는 동료였고 전장터에서는 사지를 함께 들락거리며 목숨도 같이했다. 그래서 칭기즈 칸은 말을 훔친 자는 사형에 처했다. 흑마의 모습을 새길 때 의구심이 일어날 만큼 손이 떨렸다. 어디에선가 목숨이 끊어진 그의 영혼이 손끝에 접신(接神)되는 전율을 느꼈다.

그것은 뭉흐토야가 흑마를 가족으로 여기는 만큼에서 오는 애정의 척도였다. 흑마는 마음을 잡지 못해 사라졌을 거라는 인간적 이해와 그리움이었다. 그가 비로소 척트타이츠를 등에 태운 활기찬 흑마의 모습을 새기고 난 순간, 자신이 놀랄 정도로 동굴 밖에서 흑마가 부르짖는 소리가 꿈결처럼 들려왔다.

뭉흐토야는 자신의 귀를 의심했다. 손을 멈추고 굴 밖으로 귀를 기울였다. 그리고 또다시 놀랐다. 자신의 실체를 알리려고 흑마가 부르짖는 소리가 동굴 밖에서 확연하게 들려온 것이다. 뭉흐토야가 굴 밖으로 나올 때까지 흑마는 부르짖었다. 뭉흐토야는 그를 찾지 않고 포기했던 것을 후회했다. 흑마에게 큰 죄를 지은 것 같았다.

흑마가 부르짖는 소리에 견딜 수 없는 그는 굴 밖으로 나섰다. 흑마가 왔다면 그에게 용서를 구하고 데려갈 참이었다. 조심스럽게 험준한 바위산을 내려올 때까지 흑마는 울었다. 그러나 그는 보이지 않고 하얀 눈발만 회오리를 일으키며 율린암 절벽을 후려쳤다.

넋 나간 뭉흐토야는 자신의 말을 타고 가야 한다는 것을 잊었다. 확연하게 들려오는 흑마가 슬피 부르짖는 소리에 홀려 눈밭을 헤메었다. 그는 어디에도 없었다. 울음소리만 들려올 뿐이다. 차갑고 세찬 바람이 얼굴을 할퀴었다.

혹심한 추위 속에 기온이 급격히 내려가는 깊은 밤에 흑마의 울음소리는 설원의 대지로 뭉흐토야를 한없이 끌고 다녔다. 건조한 대기는 대지의 기온을 느끼지 못한다. 내장이 얼어가도 그것을 느끼지 못한다. 눈 덮인 고비의 끝없는 대지, 흑마 울음소리에 홀려 설원으로 끌려 다니던 그는 현기증 끝에 일순간에 쓰러졌다. 그리고 눈발 속에 얼굴을 묻었다. 희미한 의식의 그가 머리를 들었다. 전쟁을 알리는 무수한 검은 깃발들이 세찬 눈바람에 펄럭이고 있었다. 뭉흐토야는 일순 반달검을 들고 무거운 군장을 갖춘 자신을 의식했다.

노도와 같은 함성 속에 피 끓는 질주로 몽골평원을 질주하는 군마들의 말발굽소리가 들려온다. 반달검을 휘두르며 사방을 둘러보아도 흑마는 보이지 않았다. 전쟁을 알리는 검은 깃발 장막저편에서 군마들의 말발굽소리만 들려온다. 뭉흐토야는 미친 듯이 포효했다.

"아- 흑마여-! 그대 어디 있는가! 장막을 걷고 아버지와 평생을 같이했던 그대모습을 제발 보여주게."

뭉흐토야는 그렇게 애원했다.

그러자 눈앞을 가로막은 검은 장막이 열리며 수많은 군마를 이끌고 선봉에 선 흑마가 저편에서 달려오고 있었다. 그러나 그 모습만 보일 뿐 실체는 아니다. 그가 몽골통일전쟁에서 죽어간 수많은 군마들의 선봉에서 그들 영혼을 이끌고 있었다. 그렇게 흑마가 뭉흐토야를 향해 달려오고, 자신도 흑마에게 달려가려고 하지만 무거운 군장이 그를 잡아끌었다. 괴로운 뭉흐토야가 허공에 반달검을 휘저으며 몸부림 쳤다.

이때다.

"한순간도 방심하면 목숨이 위태롭다고 하지 않았더냐. 머뭇거리지 말고 날이 새기 전에 빨리 흑마에 오르라."

번개 같은 일성이 그를 깨웠다. 그는 창을 들고 흑마에 오른 아버지 척트타이츠였다. 뭉흐토야의 영혼을 흑마에 태운 그가 흑마의 배를 말등자로 힘껏 내려치며 위대한 바위산 눈발 속으로 홀연히 사라졌다.

뭉흐토야의 내장은 얼어붙어 있었다. 얼어터진 뇌수막 실핏줄도 철사처럼 튀어나와 있었다. 세찬 바람에 건조한 눈발이 먼지처럼 날린다. 독수리 떼가 이미 살점을 뜯어먹은지 오래된 흑마의 앙상한 뼈가 뭉흐토야의 시신 옆 헤쳐진 눈 위에 뒹굴고 있었다. 그가 쓰러진 그곳은 척트타이츠가 묻힌 무덤 터였다. 칠흑같은 고비의 새벽, 흑마의 영혼이 아직도 영웅이 묻힌 눈밭을 앞발로 헤치고 있었다.

할리오나는 뭉흐토야가 날이 샐 때까지 눈에 보이지 않자 걱정 꽃이 핀 얼굴로 새벽잠 중인 어머니 촐로앙을 깨웠다.

"어머니, 아비의 소식이 없어요."

그러자 노쇠해진 촐로앙이 이불을 박차고 일어나며 말했다.

"무슨 말이냐. 이 추위에 뭉흐토야가 돌아오지 않았다니. 빨리 엥흐아랄을 깨워라."

밖에서 할리오나의 이야기를 들은 엥흐아랄이 문을 열고 들어오며 말했다.

"형님께서 여태 안오셨다니요?"

"요즘, 아버지가 하시던 일을 해야 한다고 하지 않았느냐. 하루만 더 하면 끝날 거라고 했는데, 아마 밤을 샛나 본데 네가 가 보아라."

하고 일렀다. 그러면서 촐로앙은 안색이 변한 할리오나를 안심시켰다.

"할리오나 걱정하지 말아라. 밤새껏 일을 했나 보다. 아주 끝내고 오려고 안왔겠지. 만약 무슨 일이 있었다면 아비가 타고 간 말이라도 왔을 텐데 말도 돌아오지 않았는데 걱정하지 말거라."

"말을 매놓았을지 모르는데 어떻게 오겠어요."

할리오나의 걱정은 태산 같았다.

"할리오나는 그렇게도 모르느냐. 지아비가 타는 말은 그냥 말이 아니다. 전장터에서 사지를 들락거리던 훈련된 군마(軍馬)다. 목축 말과는 다르다."

하고 할리오나의 조바심에 일침을 놓았다.

"형수님, 걱정하지 마세요. 제가 다녀 올게요."

엥흐아랄이 할리오나에게 위로의 말을 던지고 문을 나서려는데 촐로앙이 일순 불길한 마음이 들었는지 엥흐아랄을 다시 불렀다.

"엥흐아랄, 네가 혼자 갈 일이 아니니다. 군영으로 달려가 덤버르마 족장에게 알려라."

"네, 알았습니다."

엥흐아랄은 어머니 촐로앙의 말에 불길한 마음이 엄습했다. 심상치 않았다. 할리오나가 조바심을 태웠다.

"어머니, 만약에 그곳에도 없으면 어쩌지요?"

눈발이 회오리치는 고비의 새벽, 엥흐아랄이 고비군영으로 말을 몰았다. 전장터에서 척트 수령의 수하에서 기마군단 좌군장군으로 활약했던 덤버르마는 이제 고비를 지키는 군영의 족장이다. 엥흐아랄의 이야기를 들은 그는 직접 엥흐아랄과 아르갈리산양들의 겨울 은신처 동굴을 확인한 후 뭉흐토야를 찾으려고 고비전역에 장졸들을 풀었다.

뭉흐토야의 말도 보이지 않았다. 말 발자국도 밤새 날린 눈발에 흔적도 없었다. 만년설 알타이고비까지 장졸들을 풀었지만 소용 없었다. 덤버르마와 엥흐아랄은 홍고린엘스 방향으로 되돌아 말을 몰았다. 설원은 척트의 무덤 터가 있는 드넓은 대지다. 날려드는 눈발이 앞길을 막았다. 세차게 말을 몰던 덤버르마가 갑자기 고삐를 당기며 멈춰섰다.

"왜, 갑자기 말을 세웁니까?"

"가만히 있게, 뭉흐토야의 말 울음소리를 들었어. 우리가 달려오는 말발굽소리를 들은 거야."

그러면서 덤버르마는 눈발 속 사방을 둘러보며 귀를 기울였다. 그러나 설핏 들려온 말의 울음소리가 들렸던 방향을 알 수 없었다. 덤버르마는 양쪽 귓불을 양손으로 가리고 사방에서 들리는 소리에 집중했다.

그래도 알 수 없었다. 그러나 그에게 번개처럼 스치는 것이 있었다. 전장터에서 길을 해맬 때 북두칠성을 보고 길을 찾아 적군의 눈을 피했던 그였다. 유목 길에 별자리를 보고 구르반사이항으로 돌아왔던 그였다. 그리고 척트타이츠 영웅을 땅에 묻고 말떼를 몰아 매장 터의 흔적을 없앴던 날, 고비의 북두칠성을 보고 그 위치만큼은 기억해 두었었다. 그는 눈발이 날리는 회색베일의 하늘을 몇 번이고 고개를 들고 바라본다.

계절이 바뀐 겨울의 북두칠성위치를 그는 계산했다.

그곳은 척트타이츠 무덤 터의 하늘로 언제라도 그곳에 돌무지를 만들어 표시를 해두려는 척트 수령에 대한 충성심을 가지고 있었다. 그리고 그곳에 뭉흐토야의 시신이 있으리라는 비상한 영감을 가지고 있었다.

북두칠성의 위치를 계산한 그가 말등자를 내려치며 다시 말을 몰았다. 척트타이츠 무덤터에 다다르자 뭉흐토야의 밤색 말이 밤새 내린 눈 속에 묻혀있는 뭉흐토야의 시신을 지키고 서 있었다. 덤버르마와 엥흐아랄이 나타나자 뭉흐토야의 말이 몸에 쌓인 눈을 털며 머리를 높게 쳐들고 '히히잉-' 부르짖었다.

고비의 족장 덤버르마는 뭉흐토야의 시신을 그대로 놔두었다. 그리고 봄이 되어 장례를 치르고 군영장졸들을 동원하여 그 자리에 돌무덤을 만들었다.

영웅 척트타이츠의 무덤 터에 그의 흑마와 뭉흐토야가 함께 묻혔다. 덤버르마는 셋이 묻혀있는 영웅의 돌무덤을 가장 높게 돌을 쌓아 만들고 전시(戰時)군영도(軍營圖) 모습 그대로 그곳을 중심으로 전사한 유목민병사들의 돌무덤을 만들어 영혼들의 군영을 세웠다. 장인이자 자신을 아껴 주었던 척트타이츠 영웅에 대한 충성심이다.

"흑마이야기가 너무 신비로워요. 엥흐자르갈."

엥흐자르갈이 웃으며 다시 말했다.

"영하 45도에서도 추위를 견디는 몽골 말은 겨울에 발굽으로 눈을 헤치고 풀이나 나뭇잎을 찾아먹어요. 생명력이 강하고 매우 영리해서 자신이 처음 태어난 곳, 자신의 주인에게 정을 느끼며 처음 물을 마신 곳을 기억하고 찾아 돌아올 수 있는 놀라운 회귀성을 가지고 있어요. '몽골 말은 천리를 가도 고향을 잃지 않는다.'는 속담이 있어요. 1941년 2차 세계대전 때 독일에 갔던 몽골 말이 베를린을 탈출하여 유럽과 러시아 초원, 시베리아산맥을 거쳐 몽골에 돌아왔고, 베트남전쟁에 참여했던 몽골 말은 3년 만에 몽골 고향으로 돌아왔는데 그 말이 죽고나서 동상을 세웠는데 놀랍지 않아요?"

"아주 놀라운 예기지요. 그럼, 조부님, 구르반사이항 고비를 가면 영웅들의 돌무덤 터가 있는가요?"

몽골말이야기를 끝낸 엥흐자르갈이 따른 수태채를 마시며 그가 조부에게 물었다.

"물론이지, 아르갈리산양 동굴을 찾기만 한다면 우리 조상께서 새긴 돌 그림까지 볼 수 있지. 이제 우리 가계의 전설은 더 이상 해줄 이야기가 없네. 이제 어떻게 할 텐가?"

"구르반사이항을 다녀올까 합니다."

"구르반사이항을 가다니…… 가본들 동굴을 찾기는 힘들 텐데."

"덤버르마가 세운 영혼들의 군영 돌무덤 터라도 봐야할 것 같습니다."

"동굴을 찾는 것은 기대할 수 없지만 꼭 간다면 에르데느 솜으로 가서 엥흐자르갈 숙부에게 도움을 받게."

"네, 만약을 위해 야영준비도 해갈까 합니다."

그가 고비탐사를 하기로 마음먹자 엥흐자르갈이 극구 말렸다.

"야영을 하며 가시다니요. 그곳은 제가 태어난 곳이기도 하지만 척박한 곳이에요. 지난 겨울 설날에 가셔서 아시잖아요! 울란바타르에서 595km나 되는 거리여서, 아침 8시에 출발하는 버스가 밤 12시에나 도착하고, 오후 4시 버스는 다음날 아침 8시에 아이막에 도착하는데, 거기서 또 20km나 다시 가서 고비에 들어가려면 말을 타고 며칠을 걸려 들어가야 하는 곳을 혼자 가시다니요. 또 돌 그림이 새겨진 동굴도 알 수 없다고 하시잖아요. 이만하면 저희 가계 전설은 모두 정리되었어요. 제가 함께 갔으면 하지만 울란바타르 아파트를 비어줘야 하고, 살림도 옮겨야 해요. 조부께서 게르 하나 세워주면 아파트살림을 모두 옮겨야 하는데, 지금까지 해오신 걸로 보면 포기할 분도 아니시고…… 꼭 가신다면 에르데느 숙부께 연락을 해둘게요. 그리고 야영에 필요한 먹을거리도 충분하게 준비해 드릴게요.”

“그래요. 알아서 준비 좀 해줘요. 옝흐자르갈.”

며칠 후 그녀가 다시 일렀다.

“오후 4시 버스를 타세요. 잠은 차에서 주무시고, 그래야 그 다음 다음 날 아침에 도착하면 숙부께서도 편하고, 밤 12시에 도착하는 버스를 타면 모든게 어렵잖아요. 아이막에서 내리면 숙부께서 말을 가지고 나와 계실 거예요. 연락을 해뒀어요. 배낭이 두개나 되어서 튼튼한 말을 내줄 거예요. 아이막에서 다시 고비에 들어가면 먼저 수태채와 샤르터스를 뿌려 경배하고 어워를 만나면 공물을 올리고 안전을 기원하는 것을 잊어서는 안 돼요. 그리고 숙부 말씀으로는 우물이 있어서 떠나지 않은 목축지가 여러 곳에 있다는데, 어려운 일이 생기면 꼭 그곳을 찾으시구요. 알았죠?”

그녀의 말대로 그는 드라곤 테흐링에서 오후 4시 버스에 몸과 배낭을 던져 싣고, 구르반사이항 반사막지대를 향하여 탐사길을 떠났다.

4

전설의 암각화를 찾아서

몽골이라는 이름 하나로 신(神)은 대지를 아름다운 자연 공원으로 그대로 놓아 둔 것인가, 그림을 그린다고 넓은 도화지에 여기저기 금만 그어놓고 구체적인 대상을 설정해 놓지 않은 것 같은 단조로운 땅, 재벌 덧칠을 하다가 그림을 버릴까 여백의 미(美)로 놓아두고 손 떠난 작품 같은 텅 빈 초원,

몇 마일을 달려도 펠트고리에 연결되어 있는 것 같은 광막하고 아득하게 끝없는 고비의 바위산맥들, 붓 끝에서 잘못 떨어져 화면에 번진 황색물감 같은 홍고린엘스를 향하여, 말을 몰고 달리고 또 달려도 깰 줄 모르는 시간조차 멈춘 깊은 잠속에 빠진 반사막지대 구르반사이항은, 새로운 초지를 찾아 떠난 유목민의 게르를 세웠던 흔적과, 지붕과 벽에 소똥을 이겨 바른 텅 빈 자작나무가축우리와, 그리고 가축들이 남기고 간 바짝 마른 배설물들만 나뒹굴고 있었다.

유목민이 떠난 공허한 빈자리와 불모의 땅같은 모래 섞

인 대지에 솟은 풀숲 사이로 간간이 동물 뼈들이 앙상하게 드러나 보인다. 물을 기대할 수 없는 고비에서 더위에 몸을 내던질 수 있는 냇물을 상상한다면 그것은 참으로 사치스런 생각이다. 대 여섯 시간은 족히 달려왔다. 자외선이 강하게 투사되는 한낮이 가고 산맥 뒷편으로 밧줄하나로 헬기네펠을 하는 것처럼 태양은 빠르게 하강하는 중이었다. 가능한 산맥그림자의 그늘로 말을 몰았다. 아무렇게나 초원에 뒹구는 동물 뼈들과 미이라처럼 그대로 말라버린 늑대의 시신,

곧 해가 지고 고비에 밤 물결이 밀려오면 기온은 내려간다. 바위산맥이 꺾어지는 곳에 부드럽고 커다란 바위덩어리가 불규칙하게 쌓여 있었다. 결코 무너지지 않고 수 세월을 버티고 선 바위산 아래 바람무늬대지에 오랜 흔적의 게르를 세웠던 곳에서, 고삐를 당기며 말을 세운 그는 먼저 안장고정대에 매달아 놓은 배낭에서 수테채가 담긴 덤붜를 꺼냈다. 그리고 잘게 조각낸 샤르터스를 수테채와 대지에 뿌렸다. 고비에 첫발을 디딘 그가 안전하게 자신을 고비에 맡기는 최상의 자연신앙적인 경배다. 그 경배의 의미로는 그가 아르갈리산양의 은신처인 동굴암각화를 발견해 내는 일과, 영웅 척트의 돌무덤 터에서 그의 영혼과 자신의 육

신그릇에 담긴 알량하게 마른 영혼을 꺼내어 소통하는 일이다.

그리고 엥흐자르갈과 조부의 권유를 따르기도 했지만, 어쩌면 고비는 눈에 보이지 않는 아주 강력한 초자연적인 마력 같은 힘이 존재한다고 느껴지기 때문이다.

고대 유목민들이 하늘과 山 · 河 · 大地 자연을 숭배하였던 까닭을 그는 전설의 암각화를 찾으려고 몽골의 척박한 곳을 찾아다니며 그들처럼 피부로 느낀다.

그래서 자연에 나약할 수밖에 없는 인간은 자연숭배 사상이 싹틀 수밖에 없었다. 현대문명으로 도약하는 울란바타르와 고대 유목생활방식이 공존되는 한, 또 유목민의 본질적인 변화가 없는 한, 몽골 인의 정신적 지주로 표상되는 자연의 대변자, 샤먼에 의한 어워에서의 신(神)을 부르는 의식까지 현대문명과 호흡을 같이하며 공존한다.

몽골 땅에서 유목민의 본질이 소멸될 가능성은 절대 없다. 몽골의 목축은 몽골의 생명이며, 몽골국의 경제와 존립가치를 좌우해왔기 때문이다. 그래서 유목민의 어워신앙과 하늘 신으로부터 인간을 지배하는 자연의 모든 것들이 현대문명을 초월하는 숭배의 대상물이다.

어워신앙 이야기가 다시 나왔다. 몽골은 유목생활을 빼

놓고 어떤 말도 할 수 없듯이 어워를 빼놓고서 유목생활도 말할 수 없을 만큼 유목민의 자연신앙적인 정신문화를 지배하고 있다. 그래서 어디를 가도 볼 수 있는 어워는 하늘과 산하대지 자연숭배 사상에서 오는 집체적인 표상물이다.

신격의 최상위치는 자연의 으뜸인 하늘, 즉 텡게르 신을 지칭한다. 자연신앙에서 오는 또 다른 대표적인 표상물로는 자연의 한 산물인 영험을 기원하는 바위로 앞서 엥흐자르갈이 먼저 언급 하였듯이 어머니바위와 재물을 기원하는 바위, 치병바위가 모두 툽 아이막에 서로 근접하게 한 지역에 존재한다.

이와 같이 몽골의 자연물을 대상으로 하는 신앙은 고대 유목생활로부터 파생할 수밖에 없다고 보는 것은, 몽골 땅 대륙이 주는 척박한 자연 속에서, 그가 느껴온 위대한 자연의 모습에서 파상처럼 느껴지는 눈에 보이지 않는 초자연적인 마력 같은 힘과 다름 아니다.

그래서 이 모든 자연신앙들은 인류의 문자가 성립되지 않은 시기에서부터 존립되어 왔다고 볼 수 있는 것은, 몽골자연신앙의 대변자인 샤먼들의 원시 몸동작으로부터 아주 강하게 느낄 수 있다. 단순한 여행길에서 샤먼들의 전통 굿을 보기란 불가능하지만, 그들 샤먼들의 원시몸동작을 볼 수 있었던 것은 이곳 고비로 들어오기 얼마 전이다. 그가 홀로 위험한 고비로 떠나기로 마음먹자 엥흐자르갈이 말했다.

"혼자 들어가시게 되니까 아무래도 걱정이 되었는지 어머님이 무당굿을 청해놨어요. 기원제를 올리고 떠나셔야 해요."

"무당굿을 청했다구요?"

"네, 오 일 후가 길일이에요. 저도 미처 생각하지 못했는데 굿을 청해 놓고서 말씀하시잖아요."

"그래요? 죄송해서 어쩌죠? 굿을 여기서 하나요?"

"툽 아이막 어머니바위로 가면 되는데 울란바타르에서 세 시간 거리예요. 여기서 가자면 7시간 걸리니까 새벽에 출발해야 해요. 그래서 교통편도 미리 마련해 뒀어요."

무당굿 삼 일 전부터 그녀와 모친은 종일 양젖을 짜서 샤르터스를 만들고 깨끗한 유제품의 음식을 장만했다. 조부는 양 한 마리를 잡아 차찰로 올릴 공물을 준비했다. 이미 한가족으로 여겨주는 그들의 배려는 그와 엥흐자르갈 사이에서 염원해온 집안의 대를 이어갈 씨앗을 원하는 숨은 의미의 표현이다. 어머니바위는 지난겨울 툽 아이막 망조르 사원 터의 바위산 암각화탐사를 마치고 가려다가 쌓인 눈 때문에 가지 못한 곳으로, 아쉬움이 컸던 터에 마침 이렇게 몽골샤먼의 발원의 젯주가 되어 불현듯 가게 된다. 그곳은 도로가 없는 초원길이었다. 신 새벽 목축지에서 울란바타르를 거쳐 세 시간가량 달려 툽 아이막 솜을 지나 떠오르는 햇살 속에 재수를 준다는 한 바위에 차가 멈췄다. 엥흐자르갈과 그녀의 모친은 재수를 준다는 바위에 지갑과 얼마의 돈을 바위에 문지르며 말했다.

"지갑에서 꺼낸 돈은 절대 써서는 안 돼요. 그 돈을 쓰면 돈이 붙지 않아요. 그 돈이 다른 돈을 불러오거든요."

다음으로 치병을 낫게 해주는 바위에 다다르자. 그녀의 모친은,

"몸이 아픈 곳이 있으면 바위에 대고 누워서 기원하면 병이 없어져요."

그는 자신의 사고와는 관계없이 그들 모녀와 함께 함으로써 그들의 자연신앙을 체험했다.

마지막 구릉을 넘어서자 어머니바위가 있다는 팔각의 보호벽 담장이 내려다보였다. 어머니바위 보호담장 너머 초원에서는 하늘로 치솟은 중심대에 감긴 오방색 하닥들이 초원바람에 펄럭이는 커다란 어워에서, 쉽사리 보기 힘든 샤먼들의 어워 굿판이 장엄하게 시작되고 있었다.

어떤 이는 가져온 오방색 하닥을 어워에 두르고 있었다. 수많은 사람들이 주변을 둘러싸고 자리를 잡고 있었다.

무당굿이 시작되자 양팔을 들고 소리를 지르며 기원하는 모습과, 꽤나 이름이 알려진 샤먼들로 여겨지는 여섯 살 어린 애무당부터 70이 넘는 노령의 무당까지 30여 무당들의 삼원색 복장과 검은 독수리 털로 장식된 모자, 흑무당의 상징으로 여겨지는 검고 굵은 실타래를 안면에 덮어 내린 모습, 북을 두드리며 무작위하게 흔들기 시작하는 현란하고 역동적인 신들린 꽃불 춤의 몸동작, 그 모습은 경이 그 자체다. 그녀의 모친은 엥흐자르갈과 그를 데리고 자신이 청한 무당을 찾게 되자, 무구 앞 경상 위에 수태채를 비롯해 정성껏 준비해온 여러 공물을 올렸다.

다른 샤먼들의 앞에도 양고기와 샤르터스 등 유제품과 수태채가 공물로 차려져 있었다. 모친은 엥흐자르갈과 그를 무당 앞에 앉히고 무당에게 발원을 청했다.

무당들은 일관된 몸동작으로 각기 북을 치며 의식에 열을 올렸다. 무당들의 작위를 관심깊게 응시하는 그를 엥흐자르갈은 유심히 바라본다. 그가 말했다.

"몽골무당굿 의식체계가 어떻게 이루어지는지 깊은 관

심으로 고찰해 보면 그들의 신격이 자연의 으뜸인 텡게르, 즉, 하늘에 있는 것 같아요. 바다가 둘러싸고 있는 일본에서는 경우에 따라 마늘 신과 누에고치 신까지 신격화하는데, 특히 우리민속신앙과 몽골샤먼의 굿을 비교해 보면, 우리민속신앙으로 크게는 산신신앙, 칠성신앙, 그리고 집안을 보면 안방인 내전이 있고 부엌은 조왕신, 장독은 천륭 신, 대문은 문간대왕, 이처럼 신격이 완전하게 구분되어 있어요. 경전으로는 해동율경집에 산신경, 칠성경, 조왕경, 천륭경 등이 있고 신격이 다르고 무속도 깊게 들어가면 체계가 있지요. 우리 무당굿은 크게는 세습무(世襲巫)와 강신무(降神巫)로 분류하고 신기(神氣)를 보여주는 작두타기, 신대에 귀신을 접신시키며, 굿을 이어가는 전통 방법이 이어지죠. 굿 종류를 보면, 신당을 위한 골맥이굿. 굿판에 들어서는 신령을 대문 밖에서 맞이하는 문전굿과 마당굿, 물이 담긴 용기에 바가지를 엎어놓고 당골래가 숟가락으로 바가지를 동- 동- 동- 두드리는 바가지굿, 조상을 위하고 집안에 복을 불러들이는 구능굿, 망자의 혼령을 위로하는 망제굿, 기본적으로 무당굿에는 육자배기가락으로 장구와 태징을 치고, 호적을 불며 가락에 맞춰 율경을 염불하는 법사에 의해 무당은 굿을 행하고, 풍신물과 반주가 쓰이죠. 어려운 불교음악 범패소리에서, 대중화를 위해 고려 때부터 파생되어 이어온 육자배기 가락과 춤과 노래, 놀이 등이 유기적인 순서에 의해 구성되면서 흥취를 이끌어내고, 굿판은 종래 무리춤판이 되기도 하죠. 몽골과 우리민속신앙은 유사점의 뿌리가 같다고 보여지는데, 우리 어머니들은 과거에 집안의 안위를 위해 아침이면 조왕신인 부엌 부뚜막에 정화수를 올리고 기원했고, 천륭신인 장독에 정화수를 올려 집안 자손들을 위해 기원했어요. 여기에 필요한 경문이 각기의 경문으로, 굿판에서는 조상굿의 축원과 신장전대축사문이 있어요."

"교수님은 민속에도 조예가 아주 깊으시네요."

어워제에서 자연의 대변자 샤먼들의 역동적 작위는 문자가 성립되기 이전, 고대에 몸으로 표현할 수밖에 없는 극명한 원시몸동작으로 일관된다. 굳이 작위라 말하는 것은 어떤 정해진 형식과 순서가 있거나 경서에 의해 순차적으로 진행해 가는 방법이 있다면 의식이라 하겠지만, 그러지 못하기 때문에 작위라고 할 수밖에 없다. 가락이 무시된 엇박자의 북소리는 경도에 따라 빠르고 늦고 하는 정도로, 악기가 있다면 샤먼이 두드리는 북과 입에 물고 손가락으로 튕겨 신비한 소리를 내는 아주 작은 현악기인 호오르가 유일한 악기라 할 수 있다.

다른 것으로는 샤먼의 무복 앞뒤와 고탈에 매달린 수많은 방울들이 샤먼이 몸을 흔들 때마다 현란하게 소리가 나는 것이다.

샤먼 앞에 놓인 경상에 몽골비칙그로 된 경서하나 정도는 있을지 기대했지만, 무리를 이룬 샤먼들은 북을 때리며 역동적인 격렬한 신기(神氣)오른 꽃불 춤으로만 일관된다. 무당들의 작위가 극에 다다르면, 어워를 둘러싼 젯주와 가족들은 무당들의 작위에 동화되 어워에 절을 올리며 원시적 소리로 발원하는 자체가 축원이며 기원이다.

그 모습들은 원시부족사회의 종교의식과 전혀 다르지 않다. 문자와 언어가 성립되지 않은 고대 인간의 갈구와 애절한 기원의 소리다. 하지만 무작위한 모습에서도 그 나름의 박자가 있다. 신을 부르는 호오르를 튕기는 신비한 소리와 무작위한 몸동작, 그러나 그 모든 작위는 현대문명과 거짓을 말할 수 있는 문자에 때묻지 않은 인간기원의 본체, 바로 그 모습이다.

아르항가이 이흐타미르 강 유역에서 암각화를 보고 넋이 나갔던 때처럼 샤먼들의 작위에 넋나간 그에게, 몽골역사학 전공자답게 엥흐자르갈이 물었다.

“어떻게 느껴지세요? 몽골무당들의 굿 모습이?”

“경서내용도 없이, 저렇게 간절한 몸동작이 놀라워요. 입에 발리는 거짓이 없는 진실하고 절절한 기원모습 같아요.”

“작가다운 교수님 말씀이에요. 몽골샤머니즘은 흉노시대에 이미 널리 퍼져 있었어요. 무교는 두 갈래로 불교의 세계관과 신격, 또 사상을 받아들여 라마의 지도를 받는 불교와 혼재된 성격의 황무당과, 자연신앙을 바탕으로 지금으로부터 5~7천 년경 생성된 유형의 고대 동북아시아의 보편적인 신앙형태로 20세기 초까지 고유한 사상을 그대로 유지하고 전승해온 흑무당으로 구분할 수 있어요. 지금 저들은 황무당과 흑무당이 섞여있는데 박수무당도 있어요. 이러한 몽골무속은 1921년 사회주의정권수립이후 샤먼과 무속 행위를 인정하지 않으면서, 무당들이 체포 구금되거나 숙청을 당하면서 50여 년의 침체기와 탄압기를 거친 아픔을 가지고 있어요. 그러나 오래되지 않은 1990년 이후 종교자유화가 이루어지면서, 몽골무속은 다시 드러나기 시작했죠. 그러나 이제 샤먼을 장려하고 이어가려고 무당을 교육시키는 기관이 생겨나기에 이르렀어요. 라마들은 과거 무당을 통제하였는데, 1864년 따로 사원을 세워 모든 무당들이 이곳에서 시험을 치르게 하여 합격을 하면 무당으로 인정하는 통제 방법을 썼어요. 그래서 대부분의 무당과 특히 보리아드족의 일부 무당들이 시험을 치르고 황무당의 길을 걷게 되었죠. 또 황무당의 경우는 승려의 가사와도 같은 푸른 무복에 불교를 상징하는 만자(卍字)가 양편에 새겨 있는 반면, 흑무당의 경우 자연의 생명인 산과 늑대와 사슴 등이 그려있는데, 검은 독수리 털모자에 검고 굵은 실타래를 늘어트려 얼굴을 가린 것이 특징이죠."

어워제의 회향은 종래 어머니바위에서 끝을 맺는다. 이때 많은 사람들은 수태채를 뿌리며 샤먼들의 뒤를 따라 어머니바위 보호벽담장을 한 바퀴 돌고, 안으로 들어가 오체투지의 절을 올리며 어워제는 끝난다.

중요한 것은 현란했던 샤먼들의 모든 역동적 작위는 어머니바위에서 극치를 이루면서 귀결된다는 점이다. 몽골사람들은 자신들의 안위를 위해서 자연신앙은 물론 가축에 의해 만들어지는 모든 음식까지 신격화의 공물로 여기는 것은, 어워에 제일 깨끗한 샤르터스를 올리는 것이며. 손님의 기원을 위해, 먼 길을 떠나는 사람을 위해 수태채를 뿌려주는 것을 보아도 그렇다. 이렇듯 몽골의 어워문화와 황무당이나 흑무당의 전래해오는 무당굿은, 우리의 무당굿이 신명풀이 민속예술로 격상하여 인정하듯, 몽골민속예술의 층위에 올려놓고 보존할 가치가 능히 있다고 보아진다.

왜냐면, 몽골무속은 고대부터 자연신앙의 토대위에서 몽골문화의 한 축을 담당해 왔고, 결코 본질이 소멸될 수 없는 유목민의 정신문화를 어워신앙과 함께 지배하기 때문이다. 그렇든 저렇든, 모든 인간의 종교적 작위는 그 우열을 가릴 수 없다고 여겨진다. 어느 경우가 되어도 만사는 일체유심조(一切唯心造) 하나로 귀결되기 때문이다.

말안장 고정대에 매달린 배낭을 내리고 안장을 내렸다. 풀을 뜯어먹을 수 있는 곳에 말의 앞다리를 느슨하게 묶은 뒤 주변을 정리하고 텐트를 쳤다. 배가 몹시 고팠다.

그는 보르츠 한 주먹을 꺼내어 코펠 뚜껑에 담아놓고 배가 튀도록 씹어 먹었다. 허기가 가시자 말안장에 기대어 회색빛 태고의 산맥을 바라본다.

메말라 보이는 돌 틈으로 생명력 강한 초록들이 피어있었다. 드문드문 바위벼랑그늘 속에 자작나무들이 흰 물감을 발라놓은 것처럼 희게 눈에 띄었다. 태고의 원시 환경으로 그는 회귀되어있었다.

고비의 차가운 아침 냉기 속에 잠을 깬 말의 투레질소리가 새벽 고요를 깼다. 피곤했던지 눈꺼풀이 딱 풀로 붙여놓은 것처럼 떠지지 않았다. 간신히 눈을 떴다.

텐트 속으로 비집고 들어온 자로 줄을 그은 듯 명료한 바늘햇살 한줄기가 아침을 알려줬다. 침낭지퍼를 열고 허물을 벗듯 빠져나왔다. 불을 피우고 코펠에 다진 양고기와 야채를 섞어 볶았다. 그녀가 정성스럽게 만들어준 것이다. 그리고 최소한의 생수를 붓고 다시 끓였다. 약한 바람에도 모래가 날려드는 것은 감수해야만 하는 고비다.

아침 냉기로 뜨거운 국물을 만들어 속히 식사를 마치고 자외선이 강해지기 전에 출발하기로 했다. 텐트를 접고 두 개의 배낭을 말안장 고정대 양편으로 매달았다. 배낭하나에는 몽골식 마른 먹거리와 생수 등이 들어있다. 또 하나의 배낭은 텐트와 코펠, 야영에 필요한 것들이 잔뜩 들어있었다. 그래도 모자라 침낭꾸러미는 안장꾸미개 뒤쪽 고정대에 따로 묶었다.

고비의 깊숙한 곳으로 다시 말을 몰았다. 아까부터 자꾸 곁눈질을 던지던 자외선이 그의 눈치를 보면서 슬금슬금 퍼지기 시작했다. 그가 아르갈리산양 뿔을 본 것은, 유목민의 가축들이 이동하는 길가 구릉 위에 오방색 하닥이 바람에 펄럭이는 어워에서다. 세차게 말을 몰아 구릉으로 올랐다. 돌무지의 나무에 묶여 만선의 어선에서 펄럭이는 깃발처럼 바람결 속에 펄럭이는 하득 아래에, 용수철처럼 꼬아진 아르갈리산양 뿔 하나가 중심기둥에 걸려있었다. 털이 솟은 머리뼈가 붙은 하나는 돌무지에 얹혀있었다. 그것은 그가 목적하는 아르갈리산양들의 서식처가 가까워졌다는 것을 의미했다.

말에서 내린 그는 돌무지에 사르터스를 공물로 올리고 세 바퀴를 돌며 고비의 위대한 바위산의 산신과 천신에게 무사를 기원했다. 조부의 당부가 들린다.

"고비를 가거든 아르갈리산양의 뿔을 먼저 찾게. 우리집 전설에 따르면, 그곳은 산양들의 서식처로, 그들의 은신처인 동굴 암벽에 돌 그림이 새겨 있고 산양들이 해가 지면 들어가는 곳이 그 동굴이라고 했네."

그는 쌍안경으로 경사진 구릉과 절벽을 줌(ZOOM)으로 당겨 바라보았다. 작디작게 깨알 같은 것들이 절벽의 경사면에서 자그만 벌레처럼 움직였지만 양 떼인지 산양 떼인지 구분이 되지 않았다. 다시 말에 올라 산새 깊은 곳으로 들어갔다. 푸른 하늘을 맴돌던 수염수리 한 마리가 움켜쥐었던 무언가를 바위 벼랑에 떨어뜨렸다. 그리고 곧 그곳으로 빠르게 날아들었다. 수염수리는 뼈를 바위에 떨어트려 부서진 뼈 조각을 먹는다. 구르반사이항 고비에는 썩어가는 동물을 먹고 사는 세계적 멸종위기에 있는 수염수리가 서식한다.

알타이산맥 끝자락 구르반사이항은 북경에서 100km위치에 있다. 몽골에서는 가장 외진 곳으로 석기시대부터 최소한의 초지가 있어 할아부족 유목민들이 터를 잡고 살았다.

민둥구릉 저편에서 봄철 솔숲에서 황사가 날리듯 황 먼지가 피어올랐다. 말발굽소리가 절벽을 울렸는지 놀란 산양들이 몰려가면서 일어난 먼지라는 것을 알게된 것은 능선봉우리에 오른 뒤였다.

건조한 고비의 기후에서도 소량의 수분만으로 생존이 가능한 아르갈리산양무리들이 절벽으로 빠르게 이동하고 있었다. 깎아지른 절벽도 넘어 다니는 산양들은 짝짓기 외에는 암수가 따로 행동하는 것으로 알려져 있다. 주변을 한참동안 찾아다닌 끝에 커다란 바위로 텐트가 가려질 수 있는 장소를 찾는 일은 그리 어렵지 않았다.

그곳에 텐트를 치고 바위표면에 쌍안경거치대를 설치했다. 한곳에서 좀 여유를 갖게 되자 그는 말안장을 내리고 소금과 사르터스 가루를 섞어 만든 특식을 홀다스에 한주먹 담았다. 그리고 말 주둥이에 씌우고 홀다스가 빠지지 않도록 머리에 매어주었다. 말은 홀다스에 들어 있는 특식을 맛있게 섭취했다. 이를테면 더위에 필요한 소금이 함유된 특식을 제공하는 것이다. 이렇게 말관리를 해야 한다며 준비를 해준 것은 에르데느 솜 엥흐자르갈의 숙부였다.

해가 졌다. 한주먹가량의 밀가루반죽에 야채와 양고기를 버무려 볶아 손쉽게 초이방을 만들어 저녁을 먹었다. 태양은 졌지만 밤 10시가 가까워질 때까지 고비는 환했다.

먼저 마른나무와 산양들의 마른똥을 주워 모은 그는 모닥불로 연기를 피웠다. 차갑게 기온이 내려간 이유도 있지만 또 다른 이유도 있었다. 조부의 말로는 고비의 생태를 보면 아르갈리산양이나 몽골가젤이 있는 곳엔 사나운 눈표범이 서식한다. 산양이 많을수록 눈표범은 나타나며, 호랑이나 표범과는 달리 눈에 잘 띄지도 않는다. 순식간에 나타나 동물의 등에 올라타 산 채로 피를 빨아먹는 동물로 고양이처럼 자신의 배설물을 묻고 가버리기 때문에 흔적도 알 수 없고, 사냥도 어려운 동물로 알려져 있다.

돌 하나만 있어도 몸을 숨기는 귀재로 오히려 눈표범은 사람을 두려워한다지만, 불을 피우고 연기를 날려 그가 있는 곳에 오면 안 된다는 것을 경고하고 일깨워주는 것이다.
고비에 숲이 없지만 늑대가 있는 것으로 여길 수 있고, 늑대가 원하는 먹이로 몽골가젤이나 산양들은 산맥의 틈바구니나 동굴 속에나 있을 것이므로 큰 걱정을 하지 않아도 되지만, 만약을 생각해 늑대에게도 던지는 경고와 같은 것이다.

초록으로 덮여있는 대지는 싱그러운 풀냄새와 반사막의 흙냄새로 가득 차 있었다. 밤이 되어 강력한 어둠의 세력이 급격히 대지를 지배하자 하늘의 경계가 무너져버린 끝 모를 어둠 속은 일순 숨이 멎은 주검처럼 정적에 휩싸였다. 너무나 선명해서 정말 흐르는 것처럼 보이는 은하수는 고비가 아니면 볼 수 없는 참으로 멋지고 경이로운 풍경이다.

이렇게 별빛소나기 내리는 밤에, 만약 홍고린엘스의 모래알들이 세찬 바람에 날려오고, 저렇게 밝은 때 별빛을 받은 모래알들이 바람에 휩쓸려 허공을 날면 밤하늘은 마치 오로라가 일어난 듯 환상의 하늘이 될 것이다. 그러나 그것을 결코 기대할 바는 아니다. 왜냐면 그만큼의 모랫바람은 오히려 행동에 지장을 주기 때문이다. 만화영화에서 신데렐라공주가 왕자에게 안길 때, 무수히 떨어지는 별 폭우 같은 초롱거리는 고비의 맑은 별빛이 옷자락 밖으로 흘러나와 하얀 피부에 내려앉는 밤의 고요를 그는 홀로 만끽했다.

신 새벽 눈을 떴다. 그는 거치대에 올라앉은 쌍안경에 두 눈을 박고 산양들이 어디에서 나타나는지 오랜 시간 관찰했다. 그러나 그들은 일정한 어느 한곳에서 나타나지 않았다. 몇 마리가 보이는가 싶으면 이곳저곳 겹쳐진 산맥의 다른 바위틈에서 나타나 무리를 이루었다. 더구나 그들의 움직이는 동선은 너무 넓었다. 몰려 있다가 일시에 종적을 감추기도 했고 무리를 지어 다시 나타나기도 했다.

엥흐자르갈 가계의 전설 바위동굴을 찾겠다고 아스라이 이어진 바위산맥을 뒤지기란 요원하다. 목적을 원만히 성취하려면 적어도 1년 이상은 발굴단을 만들어 게르를 세우고 생활하면서 산맥을 다 뒤져도 될까 말까한 일을, 단 하루 단 한 번으로 산양들의 동굴을 알아낸다는 것은 어설프게 갖춘 캠핑수준의 간단한 장비로는 무리수다. 끝까지 뜻을 관철하자니 지금으로서는 도저히 함수가 성립되지 않는다. 그래서 맨 먼저 손쉬운 인수분해로 풀어보고, 루트계산법으로 상수에서 하수까지 내려도 가보고, 주역의 선천 수, 후천 수와 팔 괘를 동원해 보고, 나중에는 고차 방정식까지 들이대다가 심지어 6효 점을 쳐보아도 성공할 수 없다는 결론에 다다르자, 여러 판단 끝에 영웅 척트타이츠와 동굴 암벽에 그림을 새겼던 그의 아들 뭉흐토야와 척트의 상징 흑마가 한곳에 묻혀 있는 영혼들의 군영, 적석묘인 돌무덤 터를 찾아 다시 떠나기로 그는 마음먹는다. 그러나 쌍안경 밖에 펼쳐졌던 풍경들은 울타리 없는 동물공원으로 고비의 자연생태를 적나라하게 보여주었다.

그렇게 고비는 아무것도 전제하지 않는 무한대의 관용을 베풀면서 초지를 제공하고 자연생태를 지켜주는 첨병이 되어있었다.

고비의 밤바람 소리와 텐트 밖으로 모래알 부딪치는 소리를 기억하며 그는 다시 말을 몰았다. 자외선이 강하게 내리쬐었다. 갈 길을 멀리 두고 식수가 부족하다. 엥흐자르갈이 마련해준 마른음식을 충분히 가져와 먹는 거야 큰 걱정이 되지 않았다.

우리식단 버릇으로 국물이 필요하면 보르츠를 물에 불려 몇 번 국물을 만들어 먹었던 것과, 물량이 큰 말에게 먹였던 것이 물부족을 크게 가중시켰던 모양이다. 세면은 아르항가이 아이막 이흐 타미르 초원에서, 엥흐자르갈의 외가 나몽게렐이 세면을 한 것처럼 물 한 모금을 입에 넣고 한 차례 손에 받아 얼굴을 문지르고, 또 한 번 받은 물로 재벌 얼굴을 문지르는 것으로 그쳤는데도 식수는 소량만 남아 있었다. 여러번 헹구어야 하는 물을 많이 소비하는 비누와 치약은 아예 가져오지 않았다. 한 모금의 물로 단번에 헹굴 수 있는 소금을 가져 왔지만 여하튼 불안할 만큼 식수가 부족했다. 엥흐자르갈이 먹거리와 여러 준비를 해주면서 걱정 꽃이 핀 얼굴로 노파심에 당부했던 말이 떠오른다.

"오후 4시 버스를 타세요. 잠은 차에서 주무시고 그래야 아침에 도착하면 숙부께서도 편하고 밤 12시에나 도착하는 버스를 타면 모든 게 어렵잖아요. 아이막에서 내리면 숙부가 말을 가지고 나와 계실 거예요. 연락을 해뒀어요. 배낭이 두 개나 되어서 튼튼한 말을 내줄 거예요. 아이막에서 다시 고비에 들어가면 먼저 수태채와 샤르터스를 뿌려 경배하고 어워를 만나면 사르터스를 올리고 제의를 올리는 것을 잊지 마세요. 또 막내숙부 말씀으로는 우물이 있어서 유목지를 떠나지 않은 목축지가 여러 곳에 있다는데 어려운 일이 생기면 꼭 그곳을 찾으시구요. 알았죠?"

생수가 부족해지자 샘물이 있는 유목민목축지를 찾는 것

이 우선이 되었다. 아니면 다른 생존의 방법을 찾아야만 했다. 당장 내일아침이 지나면 마실 물도 문제다.

허기가 느껴졌다. 말도 배가 고플지 모른다. 말이 초록을 뜯어먹을 수 있는 시간을 충분히 주면서 그는 휴식을 취했다.

물을 소비하지 않고 배를 불릴 수 있는 것은 위장에서 오래 머물다 내려가는 보르츠뿐이다. 보르츠로 배를 채우면 언제나 든든했다. 그래서 몽골통일을 이루고 중국을 쳤던 칭기즈 칸이 콰리즘(이란)을 아주 쑥대밭을 만들고 소의 방광 안에 1년치의 양이 들어가는 보르츠를 전투식량으로 유럽원정전쟁을 치를 수 있지 않았는가…….

그의 말 이름은 치흐르[1])다. 이제부터 그는 치흐르를 '애마.'로 여기기로 했다. 그만한 이유는 있었다. 그녀의 숙부가 치흐르의 특식을 챙겨주면서 하는 말이, '특식을 줄 때는 더위에 매일 몸을 부리므로 하루 한 번씩 주되 시간을 맞추어서 주고, 해지는 저녁에 주면 좋다.'라는 말에 첫날 한 번 준 뒤, 영리한 치흐르는 그가 텐트를 치고 나면 텐트 앞에 가까이 다가와 자꾸 머리를 대고 특식을 요구했다.

그럴 때 홀다스에 특식을 담아주면 모조리 섭취한 뒤 부르르 코를 털었다. 그때 홀다스를 풀어주면 그를 지켜주는

1) 치흐르/ **чихэр** : 설탕

것처럼 텐트 앞을 가로막고 서서 밤을 보내는 것이었다.

실인즉, 솔직히 말하지만, 두터운 겹 어둠 속에서 무모하게 혼자 온것을 후회할 만큼 무섭기도 했던 그는 그런 치흐르가 얼마나 의지되었는지 모른다. '홀다스에 특식을 담아주는 사람의 곁을 말은 떠나지 않는다.'는 에르데느 숙부의 말은 틀림없었다. 거기에 이렇게 저렇게 의사소통이 되는 동작을 보이는 치흐르를 그냥 말이 아니라 애마로 여기는데 결코 부족함이 없었다.

에르데느 솜에서부터 고비까지 하루가 스무날 같은 나흘이 지난밤이 되자 그는 견디기 어려운 외로움을 느꼈다. 꼭 유목민이 아니어도 사람의 손길을 탄 길 잃은 양이라도 한 마리 본다면 반가울 지경이었다. 다른 가축들만이라도 보면서 간다면 망망대해 같은 초원에서 그렇게 홀연한 고독을 느끼지는 않았을 것이다.

그 홀연한 고독감은 우리가 삶을 영위하면서 가질 수 있는 통속적 현실 속에 뒤엉킨 일상에서 만들어지는 고독과는 판이하게 다른, 그런 고독이었다. 때묻지 않은 홀연한 그 고독을 이렇게 몸을 나투지 않았다면 어떻게 느낄 수 있었을 것인가, 표현할 수도 없거니와 망망 고비에서 느끼는 고독마저도 정말 소중한 것이었다.

'사회 속에서 사물을 배우고, 고독 속에서 영감을 받는다.'

는 괴테의 말은 그가 느끼는 홀연한 고독을 더욱 진정성 있는 고독으로 승화시켜 주면서 그의 내면 속에 영속할 가치가 있는 맑고 아름다운 고독으로 또 다른 영감을 던졌다.

그렇게 고독한 야영의 밤이다.

닷새째 아침이 되자, 가장 무거웠던 생수가 바닥이 나고 먹거리도 줄자 배낭은 많이 가벼워졌다. 배낭 끝을 낙타 가죽 끈으로 연결하여 치흐르의 가슴 아래로 조여 맸다. 달리는데 흔들리면 치흐르가 힘이 들뿐 아니라 속도를 내지 못한다. 물터가 있는 목축지를 찾아 이른 아침부터 켜켜이 쌓인 끝없는 산맥을 바라보며 치흐르를 몰았다.

생명수가 없다는 것은 불모의 대지에서 죽음을 의미하는 것이므로 내심 홀로 느끼는 긴장과 위기의식은 실로 말할 수 없이 컸다. 되돌아간다고 해도 깊히 들어왔기 때문에 물이 해결될 문제는아니다.

고비 깊숙이 들어오자 휴대폰마저 진즉 먹통이 되었다. 어느 누구에게도 위기를 전할 수 없게 되고말았다. 결국 집으로 돌아가지 못하고 몽골 땅 척박한 고비에서 어떻게 될지도 모른다. 쓰러져 정신을 잃으면 검은 독수리 떼가 몰려오고, 낌새를 알아차린 그들은 주변바위에 몰려 앉아 목숨이 끊어지기를 기다릴 것이다. 종래 예민한 후각으로 주검의 냄새를 맡은 늑대 또한 허기를 채우려고 나타날 것이며, 결국 숨을 거두고 주검의 정적 속에 빠져들면 늑대와 독수리 떼가 그의 육신을 사이에 두고 사생결단 시신의 살점을 서로 물고 뜯으며 피를 튀기며 다툴 것이다. 그러나 항상 그렇듯이 결과에 가서는 늑대 떼를 물리친 독수리들이 그의 살속을 맛있게 파먹을 것이다. 그러면 평소 의사와 관계없이 조장(鳥葬)의 최후를 맞는다.

'이생은 영원히 지속되지 않을 것이며, 인간이 죽는다는 것은 확실한 일이다.'

달라이라마가 그렇게 설했다. 티베트불교는 육신은 현생을 살아가는 동안 사람의 영혼을 담고 있는 그릇에 불과하다고 말한다. 그리고 윤회사상을 믿는 티베트 인들은 사후에 시신을 신성한 독수리에게 보시하는 것이 독수리를 통해 죽은 육신의 영혼이 하늘로 올라가는 승천의 의미를 지닌다. 그래서 지금까지 살아왔던 육신을 독수리의 먹이로 주는 것은 살았던 세상에서 베푸는 마지막 자비보시이며,

윤회 고리를 이어준다고 여긴다. 그러나 지금 그는 윤회 고리를 이으려고 수행하는 운수납자(雲水納者)는 아니다.

"츄츄 - 츄츄 -"

거푸거푸 긴장된 목소리로 말등자를 내려쳤다. 치흐르는 세차게 달렸다. 긴장된, 어쩌면 애처롭기까지 하는 말 모는 소리가 고비의 하늘을 난다. 견디기 어려울 정도로 가슴이 출렁거리면 줴-줴줴, 하고 풀었던 고삐를 당기며 의사를 전달하면 치흐르는 속도를 줄였다. 그러다가 다시 달리고 또 달리고, 생존을 위해 그들은 무언의 의사를 소통해가며 생명수를 찾아 초원을 달렸다.

양을 잡으면 가죽을 벗기면서 다리는 그냥 잘라버리는데 양의 앞다리를 손잡이로 만든 채찍이 있지만 말등자로 가볍게 자극을 주는 것만으로도 치흐르는 정말 잘 달려주었다. 그만큼 의사전달의 수용이 빨랐다.

전장터에서 적에게 쫓기는 것도 아닌데, 잘생긴 치흐르의 엉덩이를 아프도록 채찍으로 내려칠 만큼 그는 독하지 못했다. 그렇지 않아도 앞가슴 한쪽이 언제 다쳤는지 털이 벗겨지고 가죽이 검게 드러난 상처가 딱해 보이는데 말이다.

유목민이 떠난 목축지부근을 뒤지기도 하고, 고인물이

있을 법한 곳이 보이면 그곳으로 가보기도 하며, 다시 방향을 틀기를 수차례나 반복했지만 물터는 찾을 수 없었다. 치흐르가 달리면 바람이 이는데 땀은 왜 이리 날까. 긴장된 까닭이다.

아-. 고비의 건조한 대기와 긴장에 목이 마르다. 이럴 때 물길이 숨어있는 땅을 파서 물을 먹는 능력을 가진 보호동물 야생나귀를 만난다면 천행으로 물을 찾을 수 있을지 모르지만, 중국 령 내몽골까지 방대하게 오가는 야생나귀의 출현을 기대할 수 없었다.

이렇게 물을 찾아 헤매다 보니 별아별 생각이 다 들지만 고비는 그가 끝까지 살아남아야하는 생존교육장이 되어있었다. 그리고 그가 야생나귀가 아닌 이상 물길을 찾는 지혜는 없었다.

치흐르와의 의사소통은 갈수록 깊어졌다. 그것은 그와 정이 들어간다는 것을 의미했다. 그는 말에서 내릴 때마다 머리와 목을 쓰다듬어주는 일이 버릇이 되었다. 심지어 그에게 정이 솟으면 자신의 뺨으로 치흐르의 뺨을 비벼주는 애정을 주며 토닥거려 줄 정도로 정이 들어갔다. 그럴 때 그를 바라보는 치흐르의 큰 눈망울은 무심한 눈빛이 아닌 형용할 수 없는 많은 언어를 던지는 애정이 가득 찬 눈빛이었다. 치흐르의 그 애잔한 기러기눈빛이 잔영으로 남아 결코 잊혀지지 않는다. 그런 치흐르에게 어떻게 채찍을……,

그가 치흐르의 표정을 읽고 알아차릴 정도가 되는 반면 치흐르는 다음 행동을 알아차리고 몸을 움직이는 정도가 되었다. 치흐르는 그동안 눈 덮인 겨울목초지로부터 시작해 지금까지 그가 탔던 어떤 말보다 숙식을 같이하며 가장 오래 그와 함께 해오는 말이다. 만약 그가 몽골에 오래토록 체류한다면 그는 치흐르를 꼭 사고 말 것이다. 엥흐자르갈 조부목축지에 놓아두고 필요할 때 얼마든지 이용이 가능하고 치흐르를 볼 수 있기 때문이다.

갈수록 타오르는 물 조갈이 견디기 힘들다. 목축지를 떠나지 않은 유목민의 목축지는 정녕 없는가, 엥흐자르갈의 말로는 분명히 여러 곳에 있다고 했지만 헤매는 곳은 떠나버린 게르의 흔적과 텅빈 가축우리만 눈에 띄었다. 이렇게 얼마나 되었는지 모른다. 자외선마저 도와주지 않는다.

태양은 열사를 뜨겁게 내뿜었다. 침이 말라 입안이 고갈

되고 상의라도 벗고 싶지만 뜨거운 열사에 오히려 더 빨리 지칠지 모른다. 구름이라도 끼어서 비를 뿌려준다면 해갈이 될지 모르지만, 척박한 고비에서 물풍년을 기대하는 것은 어리석음의 극치다. 곧 비가 뿌릴 듯 구름이 하늘을 덮어도 정작 비는 오지 않는다. 하늘은 어떤 변화의 기색도 없다.

5

위기의 구로반사이항

터벅, 터벅, 치흐르의 발걸음도 느려졌다. 늘어진 어깨마저 맥없이 흔들린다. 곧 말에서 고꾸라져 떨어질 것만 같다. 기력은 모두 소진되었다. 이대로 말에서 떨어진다면 뜨거운 자외선 속에서 소생의 여지는 기대할 수 없었다. 게다가 시야를 가리는 거센 모랫바람이 휘몰아친다.

온몸은 방앗간에 날리는 왕겨먼지를 뒤집어 쓴 것처럼 모래분진이 온몸을 뒤 덮었다. 그것은 치흐르도 매 한가지다. 쉴 새 없이 모래알은 얼굴을 때리고 할퀴었다. 지속되는 시달림 끝에 희미해진 의식으로 일순 기울던 몸을 가까스로 일으키며 번쩍 눈을 뜬 그는 안장 고정대를 틀어잡고 정신을 차렸다.

빈 가축우리가 모래먼지 속에 눈에 띄었다. 물터가 있을 법한 주변에 풀숲이 있는지 살펴보았다. 그러나 풀머리를 헤쳐보지만 소용없는 일이다. 모랫바람을 막는 벽과 지붕에 소똥을 이겨 바른 그늘진 빈 우리 속으로 늘어진 몸을 질질 끌고 들어갔다. 그리고 가축들의 바짝 마른똥이 널려 진 바닥에 벌렁 누워버렸다. 극심한 조갈증이 온다. 거친 파도에 흔들리는 쪽배를 홀로 탄 것 같은 불안감이 닥쳤다. 이럴 때 만약 마르지 않은 가축 똥이라도 있다면 쥐어짜서 나오는 똥물이라도 먹을 지경이었다. 천장나무 틈에 소똥을 바른 흔적에 손자국이 나있다. 틈새를 메운 가축 똥이 빠져 떨어지지 않도록 손으로 누른 자국이다. 손자국은 여러 군데 있었다.

가축의 마른 배설물냄새가 콧속으로 흘러들어온다. 가축들의 마른 배설물은 향기롭다. 그래서 울란바타르 도시아낙들은 초원에 뒹구는 가축의 마른똥냄새가 향기롭다며 비닐봉지에 담아간다.

잠깐 동안의 깊은 졸음에 시달린 끝에 그는 화들짝 놀란다. 치흐르가 눈에 띄지 않는다. 치흐르마저 떠나면 죽은 목숨이다. 용수철에 튕겨 나가듯 우리를 뛰쳐나왔다. 다행히 치흐르는 멀지 않은 모래 섞인 땅, 거칠게 자란 나무아래에서 풀을 뜯고 있었다. 다행이다. 그러나 마취목(馬醉木)의 잎이라도 뜯어먹을까봐 치흐르에게 다가갔다. 살펴본 나무는 다행히 마취목은 아니다. 마취목은 말이 그 잎을 먹으면 중독이 되어 잠들어버리는 나뭇잎이다.

신경이 예민해진 기우였다. 생태가 맞지 않는 반사막대지에 마취목이 있을 까닭은 없다. 그는 오직 치흐르를 의지하고 있었다. 왜냐면 몽골 말은 자신이 태어난 곳과 태어나 처음 물을 먹은 곳을 기억하기 때문이다. 그러나 그는 치흐르의 태생지를 알 수 없다.

지친 몸을 이끌고 다시 가기로 했다. 수많은 민둥구릉을 스치고 돌산을 지나 구만리장천하늘아래 고비에서 가장 넓다고 생각되는 초원이 시각의 틀 속에 들어오자 무엇을 알아챘는지 돌연 치흐르가 속도를 내기 시작했다.

그리고 그의 의지를 떠나 구릉물결을 넘고 넘어 계속 달렸다. 까닭이 있을 것이므로 치흐르의 행동을 그는 제지하지 않았다. 아니, 그 자신의 의지대로 말을 모는 것을 이미 포기했다. 그 포기는 그가 신체의 한계에 다다랐음을 의미했다. 더 이상의 의지를 상실한 것이다.

지속되는 조갈증 속에서 전신의 수액이 한순간에 모조리 증발되는 갑작스러운 쇼크에 시달렸다. 그 쇼크는 말라버린 세포가 마른과자처럼 부서져버리며 살가죽이 뼈에 달라붙는 것 같은 충격적인 쇼크다. 갑작스런 그 쇼크를 그는 견딜 수 없었다. 지친 육신을 지탱할 수 없게 만들었다.

바르르 온몸에 경륜이 일었다. 정신이 가물거리기 시작했다. 남은 의식을 되살려 겨우 안장 고정대에 몸을 의지했다. 그러나 지금의 상황은 그의 의지에 결코 관대하지 않았다. 견디다 못한 그는 종래 안장고정대를 붙잡은 손을 양편으로 늘어뜨리고 맥없이 앞으로 고꾸라지고 말았다. 쓰러진 그의 등위로 모래분진이 날렸다.

치흐르는 자신의 등에 쓰러진 주인의 신체를 의식했다. 치흐르는 긴장했다. 고삐를 당겨주거나 말등자로 자신의 배에 자극을 주는 어떤 의사표시도 하지 않는 주인을 살려야 했다. 당황한 치흐르는 가던 길을 멈추고 제자리에서 히힝거리며 방향을 돌려가며 바람의 냄새를 맡았다.

시야가 보이지 않기 때문이다. 쓰러진 주인이 떨어질까봐 걱정이 된 치흐르는 속도를 낼 수도 없었다. 조바심 속에 바람의 냄새가 나는 곳으로 방향을 틀어가자 모래먼지 속 광막히 먼 곳에 양떼무리가 깨알처럼 초원에 달라붙어 있었다. 치흐르의 눈이 번쩍 뜨인다. 그는 이제 힘들게 뛰지 않았다. 양떼무리 쪽으로 천천히 다가갔다. 양들은 끊임없는 모랫바람에 모두 머리를 맞대고 주저앉아있었다. 무리주변을 돌면서 사방을 둘러보아도 야생양떼는 몽골에 존재하지 않는데 목자가 보이지 않는다.

양떼 속에 섞여있는 염소의 뿔에 어떤 표시인지 녹색이나 푸른색안료가 칠해져있는 것을 보면 목자와 게르는 있을 터였다. 의심되는 봉우리에 바위가 박힌 구릉 쪽에 좀 낮은 산이 보였다. 능선이 가까이 보이자 치흐르는 다시 제자리에서 방향을 틀어가며 바람의 냄새를 찾았다. 그리고 능선 쪽으로 올라섰다.

아- 과연! 치흐르는 정말 영특했다. 능선아래 모래먼지 속에 희미하게 보이는 말들이 우물가에 길게 놓여진 나무 물통양편에서 물을 먹고 있었다. 치흐르는 불어오는 바람 속에서 자신의 동족인 말떼의 냄새를 맡고 찾아온 것이다. 만약 그가 쓰러지지 않고, 또 치흐르의 지혜를 무시하고 자신을 다른 곳으로 몰았다면 더 어려운 곤경에 빠졌을지도 모른다. 치흐르는 애마로 여기는 만큼의 지혜를 여실하게 보여주었다. 치흐르는 경사진 구릉을 내려가지 않고 고개를 들고 몇 차례나 히히힝- 부르짖으며 주인의 위험을 알렸다.

힘겹게 두레박으로 물을 길어 올리던 유목민노인 만다흐빌랙이 바람소리에 들려오는 치흐르가 부르짖는 소리를 어렴풋이 들었다.

두레박 물을 물통에 쏟으며 시선을 던져보지만 뿌연 모래먼지에 보이지 않았다. 다시 치흐르가 부르짖는 소리를 듣고서야 그는 비로소 일어섰다. 만다흐빌랙은 능선으로 향했다. 모래분진 속에서 만다흐빌랙의 모습이 보이자 치흐르는 자신의 등위에 쓰러진 주인을 보라는 듯 몸을 돌려가며, 부르르-부르르-, 투레질로 그의 위험을 알렸다.

짐승이지만 치흐르에게도 이렇게 사람이 반가운 적은 아마 없었다.

낌새를 알아차린 유목민노인이 빠른 걸음으로 올라왔다. 치흐르도 주인이 자신의 등 위에서 떨어지지 않도록 조심스럽게 그를 향해 천천히 내려갔다.

말 위에 쓰러져 있는 그를 본 마다흐빌랙 노인은 놀란 기색으로 치흐르의 머리끈을 잡고 그를 부축하여 말에서 내렸다. 대저 유목민들은 언제나 말을 몰고 게르를 가면 하던 일에서 손을 놓고 어떤 일도 도와주는 것이 생활화 되어있다. 그는 또 치흐르의 고삐를 잡고 다른 말무리 속에서 물을 마시도록 해주었다. 참 아름다운 유목민의 심성이다. 치흐르가 부르르- 온몸을 흔들어 먼지를 털며 물을 먹느라 물통에 코를 박은 여러 말 틈사이로 비집고 들어가 물통에 코를 박고 갈증을 풀었다.

놀란 만다흐빌랙은 먼저 바닥에 눕힌 그의 얼굴에 모래 먼지를 손으로 쓸어내고 두 눈을 까본 다음 정신을 차리도록 가슴을 쥐어잡고 흔들며 소리쳤다.

“사잉 바이츠가나오. 사잉 바이츠가나오.”

(Сайн байцгаана уу여보시오, 여보시오.)

그러나 그는 의식을 차리지 못했다.

“사잉 바이츠가나오. 사잉 바이츠가나오.”

다시 흔들며 깨웠지만 아무 반응도 보이지 않는 그는 깨어날 줄을 모른다.

한편, 울란바타르 아파트살림을 조부의 유목지로 모두 옮긴 엥흐자르갈은 전과 달리 구르반사이항을 홀로 들어간 그에게 걱정 꽃이 피어 여러 날 잠을 이루지 못했다. 말몰이를 하면서도, 해질 녘 양떼를 몰아 귀가시키면서도 걱정이 떠나지 않았다. 그림자처럼 항상 붙어다녔던 지난 일들은 영원히 지속시키고 싶은 엥흐자르갈에게는 큰 행복이었다. 알게 모르게 깊은 정이 들어있었다. 엥흐자르갈의 표정을 읽었는지 그녀의 모친이 말했다.

“네가 요즘, 그사람 생각으로 걱정이 큰 모양이구나.”

“네, 꿈자리가 좋지를 않아요.”

“무슨 꿈인데 그래?”

"아무래도 그분에게 무슨 일이 닥칠 것만 같아요. 극구 말려야 했는데, 그분하시는 일이 우리집안일이어서 나도 욕심이 들었고, 의지가 보통이 아니신 분이라 혼자 보낸 것을 후회하고 있어요."

"그렇게 걱정이 되거든 간등사 절 밑에 무당집에라도 다녀오렴. 지난번 굿을 해줬던 그 무당말이다. 가서 물어보고 오렴. 그분 굿을 했으니까 이야기를 하면 알 것이다."

"아참! 그걸 생각 못했어요. 내일 아침 일찍 다녀와야 하겠어요."

"그래라."

이튿날 엥흐자르갈은 수흐바타르구 간등사 오름길에 황색 깃발이 펄럭이는 무녀집을 찾았다. 울란바타르에서는 꽤 이름난 흑무당으로 당골래무녀다. 게르 벽에는 칭기즈칸이 새겨진 양탄자가 나붙어있다. 양편으로는 굿에 쓰는 무복과 여러 무구들이 걸려있고, 무녀의 곁에는 아마 우리의 굿판에서 장구를 치며 율경을 염불하는 법사로 여겨지는 무복을 갖춘 사내무당이 앉아있었다. 엥흐자르갈이 전후사정을 말하자 무녀는 지난번 일을 기억하고 있었다.

"오라, 지난번 어머니바위에서 어워 굿을 청한 그분이 걱정되어 왔다구요?"

"네."

그러면서 무녀는 불전에 향을 사른 다음 경상나무통에 꽂혀있는 독수리 털 한 묶음을 경상에 펼쳤다. 그리고 작은 호오르를 집어들고 입에 댄 다음 호오르의 떨판을 손가락으로 튕기며 신비한 소리로 신을 불렀다. 사내무당도 호오르를 입에 대고 호오르를 튕겼다. 두사람의 호오르소리가 신비한 화음으로 한참 동안 게르 공간을 울린다.

시간이 갈수록 호오르소리는 더욱 빠르게 들렸다. 무당들의 표정은 심오하게 변했다. 사내무당이 호오르를 멈추고 일어서더니 표면에 사슴과 늑대가 먹으로 그려진 태북을 두드리며 방안을 돌았다. 북소리와 호오르소리가 뒤엉키며 어느 경지에 이르자, 몸을 일으킨 무녀는 수정체 속의 유기물처럼 북소리가락을 타고 몸을 너울거리며 꽃불춤을 추었다. 무아경지 속에 빠진 것처럼, 무녀는 알아들을 수 없는 말로 울고 불고 괴로워하며 숙였던 몸을 다시 일으켰다. 무복과 고탈에 매달린 수없는 방울들의 현란한 소리와, 호오르와 북소리는 영혼들의 아우성이다.

"옴, 마니 바드 메 훔. 옴, 마니 바드 메 훔."

(Ум мани бад мэ хум. Ум мани бад мэ хум.)

무녀는 텡게르 신과 대화를 하고 있었다. 엥흐자르갈은 무녀의 괴로운 동작과 얼굴에 늘여뜨려진 검은 실타래사이로 보이는 표정과 '옴, 마니 바드 메 훔. 옴, 마니 바드 메 훔.' 무녀의 다라니 소리에 긴장되었다. 필시 좋은 괘상이 나오지 않을 것 같았다. 그것은 그에게 위험이 닥쳤다는 것을 의미했다. 한참 만에 북소리와 호오르 소리가 멈추고 무녀는 독수리털 말가이를 벗으며 경상머리에 앉았다.

땀을 닦으며 무녀가 물었다.

"그사람 생년월일이 어떻게 되지? 아참! 저번에 그사람 굿을 하면서 어머니에게 받아놓은 게 있네."

그러면서 손때가 번질거리는 낡은 데브테르(공책/дэвтэр)를 뒤적였다. 이름을 찾아낸 무녀는 경상에 펼쳐놓았던 독수리깃털 뭉치를 두어 번 손으로 쓸었다. 불규칙하게 펼쳐진 깃털 하나를 손으로 집으며 입을 열었다. 깃털은 두 개나 세 개, 혹은 하나가 멀리 떨어져있었다. 엥흐자르갈은 초조히 무녀의 입이 떨어지기를 기다렸다.

"이를 어쩌나! 아주 위험한 곤경에 빠졌는데, 이걸 어쩌지? 큰일났네."

"뭐라구요? 큰일이라니요?"

"그래, 지금 위험한 지경에 빠졌어요."

"……."

말문이 막혀버린 엥흐자르갈은 현기증을 느꼈다. 일순, 시각기능이 무너지며 흑막처럼 어둡게 보였다. 엥흐자르갈의 표정에 무녀가 말했다.

"지난번 굿까지 했는데 걱정하지 말아요. 어머니를 봐서 텡게르 신에게 빌어줄 테니까. 칭기즈 칸도 죽을 지경에는 텡게르 신을 찾지 않았어요?"

"네, 부탁드려요. 그분에게 무슨 일이 생기면 절대 안 돼요."

"쯧쯧, 괘상을 보면 텡게르 신께서 귀인(貴人)을 만나게 해주실 거예요."

엥흐자르갈은 얼마의 돈을 쥐어주며 그를 위한 굿을 재삼 부탁했다.

여기에서 보면 몽골무속은 우리의 무속형식과 흡사하다. 어워가 우리의 성황당과 유사하다는 것은 익히 알려져있다. 몽골샤먼들이 어워에서 굿을 했듯이 과거 우리의 무당들도 성황당에서 굿판을 벌렸다. 점치는 모습을 보아도 그렇다. 점방에 삼존불과 조상의 위패를 모셔놓고 향을 사르고 점을 치는 것이나, 경상에 쌀이나 동전을 펼쳐 그 모양을 보고 점괘를 내는 방식이 독수리털을 펼쳐놓고 그 모양을 보고 점을 치는 방식이 전혀 다를 바 없다는 점이다. 이 방법은 우리의 무당이 쌀이나 동전이 하나일 때의 괘상과 둘일 때의 괘상을 잡아내는 것으로 일종의 육효(六爻)를 점으로 치는 방식이다. 육효점은 주역괘상을 좀 더 역술에 접목하여 현실에 충실하면서 앞으로 전진할 때와 후퇴 할 시기를 알려주고 지혜롭게 살 수 있게 한다. 6개의 효로 이루어졌다 하여 육효라 하고, 육효는 사술보다 사람의 근심을 덜어주고자 하는 마음으로 작괘를 하여 정확성을 더한다. 사주는 출생정보로 풀지만 육효는 출생정보에 의존하지 않고 현재와 미래를 예측하는 학술이다.

집으로 돌아온 엥흐자르갈은 막연히 있을 수 만은 없었다.

"어머니, 불안해서 견딜수가 없어요. 아무래도 구르반사이항으로 가봐야 할 것 같아요."

"그래라. 무녀말이 그렇다니 나도 불안하구나. 에르데느 숙부집으로가서 말한 마리 몰고 몇군데 목축지를 들리면서 가거라."

"네, 어머니."

삼일 밤 동안 버스를 타고 만달고비 숙부집에 도착한 그녀는 말한 필을 몰고 구르반사이항으로 치달렸다. 자신이 알고 있는 목축지를 모두 들리며 갈 참이다.

노심초사, 며칠 동안이나 의식을 잃은 그에게 입을 벌리고 수태채를 목으로 넘기도록 간호하던 만다흐빌랙은 그가 깨어나지 않으므로 종래 자작나무고목에서만 피어나는 단단한 말발굽버섯을 도끼로 잘게 쪼개어 삶은 물에 양고기가루로 미음을 만들어 입에 떠 넣는 방법 밖에는 목숨을 부지시킬 다른 수는 없었다.

자작나무고목에서만 피어나는 말발굽버섯과 낙타젖으로 만든 약은 어떤 병에도 약효가 탁월한 유목민들에게는 귀한 약재로 고대부터 쓰이는 것들이다. 만다흐빌랙의 부인체 아노칭이 우려온 말발굽버섯 우린 물에 양고기가루로 만든 미음을 입을 벌리고 떠먹이기를 이레가 지난 날, 멀리 말발굽소리가 들려온다.

만다흐 빌랙이 밖으로 나왔다. 다급히 말채찍을 휘르며 달려오는 건 엥흐자르갈이다. 말에서 내리며 화급히 묻는 그녀의 말에 만다흐빌랙은 엥흐자르갈의 옷깃을 잡고 게르 안으로 얼른 데리고 들어갔다. 핏기 없는 창백한 얼굴의 그를 본 엥흐자르갈은 일순 하늘이 무너지는 것 같았다. 어깨를 들썩이며 흐느끼던 그녀는 이슬을 닦으며 한참동안 그의 가슴을 만져보고 가볍게 흔들며 말했다.

"저예요. 엥흐자르갈이예요. 눈 좀 떠봐요. 눈 좀 떠 봐요. 엥흐자르갈이 왔어요."

하지만 그는 깊은 잠속에 빠져있을 뿐이다. 깨어날 기미를 보이지 않았다. 그렇게 이틀이 지났다. 체,아노칭 만다흐빌랙의 부인이 가져온 말발굽미음을 그의 입을 벌리고 한차례 먹인 엥흐자르갈은 자신이 가져온 생명력 강한 낙타 젖으로 만든 시럽한병을 마개를 따고 또 먹였다.

그녀는 다시 코담배 병을 꺼내었다. 그리고 뚜껑을 열었다. 그녀는 미세한 담배분말가루를 그의 코안에 조금 붓고 코담배가루가 들어가도록 입으로 불어넣고 가슴을 몇 차례나 눌렀다. 코담배가루가 콧속과 가슴에 들어가자 찡하게 자극을 받은 그가 갑작스런 자극에 거친 기침을 토하며 한참 동안 몸부림을 치더니 비로소 눈을 번쩍 떴다. 반들거리는 유목민노인의 갈색얼굴과 엥흐자르갈의 얼굴이 번갈아 아물거렸다.

그는 겨우 입을 열었다.

"오스-, 오스-."

(Ус-,У-с,/물, 물.)

그러자 머루눈동자에 그렁그렁 눈물이 맺힌 엥흐자르갈이 그의 상체를 들어올리고, 체아노칭이 내미는 물바가지를 받아 물을 먹였다. 한참 동안이나 앞가슴이 젖도록 벌컥벌컥 물을 들이킨 그는 그녀의 부축을 받으며 의식을 되찾았다.

둥근 갈색얼굴에 굵은 주름이 펴져있는 만다흐빌랙의 부인 체, 아노칭이 다시 미음을 가져와 그녀에게 건네주자. 엥흐자르갈이 그에게 미음을 떠먹이며 이슬을 보였다.

며칠 동안이나 신세를 지며 엥흐자르갈은 이렇게 되기까지 모든 사유를 만다흐빌랙에게 말해주자, 그의 국적을 알게된 체, 아노칭은 보따(쌀)로 밥을 지어주었다. 그는 모처럼 곡기를 섭취하고 비로소 기력을 회복했다. 그러나 몸이 회복되는 과정에서 끊임없이 모래알이 얼굴을 할퀸 까닭으로 안면근육의 피하통증을 견뎌야 했다.

회복된 그의 의지에 따라 2000년 전 돌무덤터를 갈 것이라고 엥흐자르갈은 만다흐빌랙에게 말했다. 그는 물은 필요한 만큼만 담아가고 갈 적에 다시 들려가라고 말했다.

대단한 호의다. 몽골 사람들은 시간이나 거리개념에서 '바로 옆.'이라고 하면 두세 시간 거리이며 '바로 옆에 있는 솜'이라고 하면 최하 5시간 이상 거리다. 그러니까 만다흐빌랙이 목적지를 가는데 조금만이라고 하는 거리는 아마 두세 시간 거리가 될 것이다.

엥흐자르갈과 그가 밖으로 나와 말에 오르자 수태채 그

릇을 가지고 나온 체, 아노칭이 그들 앞길에 수태채를 뿌렸다. 손님의 무사와 행운을 기원하는 유목민의 풍습이다. 되돌아 오면서 엥흐자르갈과 그는 이들의 게르에서 삼일을 쉬면서 목축과 가사일을 도와줬다.

결코 이방인을 마다하지 않는 그동안 보아온 유목민의 생활모습은 현대문명 속에 마지막 남아있는 인류애다. 유목민의 그 모든 것은 넓은 대륙 유목생활에서 오는 사람에 대한 짙은 그리움이다.

6

영혼들의 군영

아스라이 보이는 산맥에 걸터앉은 흰 구름덩어리가 비만의 체구로 자외선태양빛 속에서 꾸벅꾸벅 졸고 있었다.

측면산맥 황갈색빛깔은 홍고린엘스 모래 턱에서 날려온 황모래가 달라붙은 것일 게다. 나지막한 구릉벨트를 물너울을 일으키듯 넘고 넘어가자 얼굴을 가누기 힘든 무수리 모랫바람이 불기 시작했다.

갈수록 바람은 세차게 불었다. 모래알이 얼굴을 때렸다. 치흐르가 부르르-, 부르르-, 코를 털었다. 앞으로 나가지지 않는다. 이건 또 무슨 수난인가, 사막지대 홍고린엘스가 가까웠던 까닭이다. 치흐르와 엥흐자르갈이 타고온 말들이 힘들고 힘들게 달렸다. 고개를 잔뜩 숙이고 차양으로 얼굴을 가렸다.

그러나 희뿌연한 모랫바람이 잦아들면서 적석묘인 돌무덤의 흔적들과 더 먼 곳에 높게 쌓인 중심무덤 터가 모래먼지 속에서 실체를 드러내며 인내하고 달려왔던 고충을 한순간에 털어냈다.

가장 높고 큰 돌 무덤은 척트타이츠 영웅과 아르갈리산양들의 서식처 동굴암벽에 영웅을 새긴 그의 아들 케식텐의 장군 뭉흐토야, 그리고 죽음의 문턱을 함께 넘나들었던 자신의 주인 척트타이츠의 주검에, 식음을 전폐하고 스스로 주검을 자초하여 독수리밥이 되었던 흑마가 함께 묻혀있는 전설의 무덤 터다.

그 돌 무덤 속에는 그렇게 몽골통일전쟁의 한 부분의 역사가 묻혀있다. 멀리 홍고린엘스 모래폭풍이 휘몰아치며 깊은 잠속에 빠진 대지를 깨웠다. 중심무덤 터를 애워싼 대략 7~8m 간격으로, 일정한 규칙을 갖추고 평면배치된 나지막한 돌무덤들은, 이를테면 척트타이츠의 심복부하, 몽골통일 후 구르반사이항 유목민족장이 되었던 덤버르마가 만든 고비유목민병사들의 돌무덤으로, 척트타이츠에 대한 충성심에 이렇게 영혼들의 군영을 세웠다.

허공에 나는 모래알들이 서로 맞부딪치는 소리가 바람결 속에 끊임없이 들려온다. 고비에서만 들을 수 있는 이른바 홍고린엘스 바람이 연주하는 모래음악이다.

지금 영혼들의 군영 돌무덤 터에는 흰색과 검은 수호기 톡그가 영혼들의 군영을 지키고 있다. 멀리 모래폭풍 속에는 전쟁을 알리는 검은 깃발이 장막을 쳤고, 말발굽소리가 들려온다. 척트타이츠의 상징이던 흑마의 영혼이, 몽골통일전쟁에서 몇십만 대군과 생사를 같이했던 죽어간 군마들의 선봉에서 피 끓는 질주로 그들 영혼들을 이끌고 있다.

엥흐자르갈이 특유의 고음으로 알타이막탈을 노래한다.

옛날 옛날에
다섯 영웅의 말등자 스치는 소리가 들리고
전쟁을 알리는 검은 기를 올려
만 년 동안 백성의 존경을 받았다.
멋있게 머리를 들고
춤 추는 검은 말과
보석처럼 반짝이는 날카로운 칼과 창이 보인다.

범패(梵唄)가락과도 같은 구음으로 엥흐자르갈은 알타이막탈을 노래하며, 그들 영혼을 위해 무덤 터에 수태채를 뿌렸다. 히히힝-, 치흐르가 고개를 들고 부르짖었다.

결과적으로 아르갈리산양들의 은신처 동굴암각화를 찾는데 실패한 그는 마음한편이 공허했다. 13세기 칙트타이츠 시대 이후, 그들 후손들의 몽골평원의 유목지를 이렇게 힘겹고 힘겹게 헤매었지만, 양피지탁본으로만 기록되어있을 뿐이다. 그 실체를 찾는 것은 이제 언젠가 세월이 말해줄 것이다. 그러나 깔끔하지 못한 결과를 가지고 이렇게 되돌아갈 수는 없었다. 무모하게 기대했던 동굴암각화에 버금가는 다른 동굴의 실상이라도 보아야만 그동안 추적해 왔던 전설의 암각화를 상상하고 매듭을 분명하게 지을 수 있었다.

그는 거리가 너무 멀다는 핑계로 염두 밖으로 멀리 방치해두었던 구르반사이항 고비의 머리 격인 알타이지역 호이트쳉헤린 강변절벽을 가기로 다시 결연히 마음먹는다. 그리고 자신의 뜻을 엥흐자르갈에게 토로했다.

그녀는,

"도무지 고집을 꺽을 수가 없어요! 꼭 그러시면 에르데느 숙부에게 또 도움을 청할 수 밖에요."

에르데느 솜 엥흐자르갈의 숙부목축지로 되돌아온 그들은 숙부의 도움으로 다시 달포를 가고 오는 멀고 먼 호이트 쳉헤린 아고이동굴벽화의 실상을 볼 수 있었다.

호이트쳉헤린 아고이동굴벽화는, 양을 치던 한 목동이 1950년대 초, 우연히 발견한 것으로 알려져 있고, 수많은 그림들과 부호와 상징으로 음각되어있다. 수세기 동안 대륙 속에 숨어있던 역사의 진실이 양을 치던 목동으로 하여금 멎었던 호흡을 크게 내쉬게 된 것이다. 행정위치로는 홉드아이막 홉드 솜에서 남쪽으로 90km 지역, 만함손 호이트 쳉헤린강가 60m 높이 절벽동굴에 있다.

엥흐자르갈 가계의 전설을 그는 믿는다. 왜냐면, 학자들에 의하여 확인된 몽골암각화와 고분은 입지상 매우 유사점을 보이고 있다.

주목되는 것은 암각화발견지역과 돌무덤인 적석묘가 서로 근거리에 입지하고 있는 것과, 이흐두를지 팔로유적의 현장조사에서 돌무덤 가까운 곳에서 암각화가 발견된 것으로 기록되어 있고, 지난번 아르항가이 아이막 체첼를랙이흐 타미르 강변에 널려진 암각화의 가까운 지역에서도 적석묘인 돌 무덤을 보았던 걸로 보면, 엥흐자르갈과 그가 비로소 찾아간 척트타이츠 돌무덤의 위세로 보아, 필시 그 가까운 곳 어딘가에 아르갈리산양들의 은신처인 동굴에 그녀의 선조들이 돌 그림을 새겼다는 것이 사실로 입증된다는 점이다.

그렇다면, 엥흐자르갈 가계 전설의 동굴암각화도 켜켜이 쌓인 고비산맥 어디에선가 언젠가는 찾게 될 것이다. 그리고 긴 호흡을 내쉬며 그녀의 조상 척트타이즈의 영웅 됨을 더더욱 빛나게 하는 날이 올 것이다.

7

흑화의 땅에 핀 꽃

생사위기를 넘기며 구르반사이항 탐사를 마친 그는, 자연숭배사상이 싹틀 수밖에 없는 장엄한 대지의 마력 같은 힘을 느꼈다. 그가 무사할 수 있었던 것은, 엥흐자르갈의 당부에 따라 대지에 수태채를 뿌려 경배하고, 그녀가 마련해준 샤르터스를 차찰로 올리고 어워를 돌며 기원했던 염원의 소산이거나, 또 그녀의 간절한 발원으로 텡게르 신의 보호가 있었을 것이다.

죽음의 경각에 다달았던 무모한 구르반사이항 여정을 돌이켜 생각하면 실로 꿈같은 일이다. 위험했던 그 여정 속에 사경을 헤매게 된 그가, 최후에 엥흐자르갈이 아니었더라면 생명마저 보장할 수 없었다. 그녀의 애틋한 애정에 그는 그녀에게 더 가까이 다가서는데 조금도 주저되지 않았다. 연구실에서 그동안의 자료를 정리하면서 원고뭉치를 박스에 담으며 그는 말했다.

“나의 프로그램여정은 모두 끝났어요. 엥흐자르갈, 이제 모두 털어내고 가벼운 마음으로 우리만의 여행을 하고 싶은데, 지난번 암각화지역을 돌면서 가보지 못한 흑화의 땅, 항가이지평선을 다녀오기로 해요.”

그 계획은 그가 다짐한 결과다. 그녀에 대한 애틋한 사랑의 보답이다. 구르반사이항에서 사경을 헤맬 때 그녀는 말을 몰고 달려와 자신을 구했다. 이제 더는 내숭을 떨 명분도 없다. 그는 진실하게 그녀를 사랑하겠다고 속마음을 다져놓았다.

‘우리만의 여행을 하고 싶다.’는 말에 엥흐자르갈은 내심 놀란다.

“네?”

머루눈빛이 섬광처럼 반짝였다. 그동안 그녀가 무작정 주어왔던 애정의 결실로, 그의 씨를 받아 아들을 낳고, 집안을 이어갈 아들 앞으로 조부의 목축재산을 떳떳하게 상속받고 싶은 현실적 욕구가 그녀 가슴에는 일찍부터 타오르고 있었다. 처음부터 조부와 어머니의 바람이기도 했다.

“그래요. 어떻게 제가 거절할 수 있겠어요. 준비를 할게요. 돌아가실 때까지 저는 그림자처럼 함께해야 하잖아요. 지난번 구르반사이항을 홀로 가셨다가 위험에 처했을 때, 제가 얼마나 걱정하고 상심했는지 아세요? 이제 어디든 혼자 보내지 않을래요.”

"고마워요. 나는 뭐라 더 할 말이 없어요."

그는 치명적인 매력을 지닌 매혹적인 머루눈빛 그녀와 많은 날들을 함께하면서, 그녀가 던지는 애정을 외면하고 도덕 운운하는 것은 가식이며, 거짓과 위선이라고 결론지었다. 그는 헌신적으로 자신을 도와온 그녀를 사랑할 수밖에 없었다. 그 가식과 거짓의 허물을 이제는 벗기로 했다. 그것이 진실한 속내다. 그녀의 외로운 어린 시절에 대한 동정심은 아니다.

그들은 일정을 잡았다. 그리고 드라곤 테흐링에서 항가이 행 버스에 몸을 실었다. 버스는 초원을 달린다. 강한 질투로 자외선이 눈을 찌르는 계절이다. 행복해 하는 그녀의 머루눈동자는 더 없이 반짝였다. 밤이 되어서야 버스는 어워르항가이 볼강, 라샹트를 거쳐 다음날 아르항가이 호통트 솜에 머물렀다. 그들은 다시 그녀의 외갓집으로 향했다.

"어서 오너라. 한번 다녀가니까 먼 길을 또 이렇게 오게 되는구나."

"네, 외할머니."

외숙부와 가족들이 반긴다. 그녀의 볼에 볼을 부비던 외조모는 다시 그를 안고 어깨를 토닥이며 말했다.

"하나밖에 없는 내 외손녀를 많이 아껴줘요."

다음날 새벽,

그들은 다시 외숙부의 낡은 승용차에 몸을 싣고 이흐 타미르 강물이 흐르는 작은외조부 게르에 도착했을 때는 늦은 오후였다. 그녀의 이종형제 나몽게렐이 검은 양새끼가죽을 벗기고 있던 손을 멈추고 다가와 반겼다.

외숙부가 말했다.

"엥흐자르갈. 보름 후에 데리러 오마."

하고 수태채 한 대접을 비운 뒤 승용차를 몰고 되돌아갔다. 아침이 되어 나몽게렐이 두 필의 말을 마련해 주었다. 엥흐자르갈이 안장을 올리고 고정대에 두 개의 배낭을 하나씩 걸었다. 텐트와 침낭과 먹을거리 등이 마련된 배낭이다.

그들은 초원으로 향했다. 야크떼를 몰고 가는 나몽게렐의 모습이 아스라이 멀어지면서 구릉지대를 벗어났다. 아르항가이는 세계의 아름다움을 한곳에 모아놓은 흑화(黑花)의 땅이라고 불리는 땅이다. 변화무쌍한 대지에 햇빛이 강해지면서 새로운 정경들이 장천하늘아래 펼쳐보였다.

초원 깊숙히 들어가자 천둥소리로 지척을 울리는 야생말떼들의 질주소리 속에 흙먼지가 일어나더니 이내 말떼들이 일시에 멈춘다. 수컷 말 한마리가 성난 자신의 상징을 드러내놓고, 발정난 암말의 뒤편으로 기어올라 흙을 튀기며 본능에 충실하고 있었다. 암말이 내지르는 격정의 신음소리,

드물게 보이던 구름이 사라지고 끝없이 펼쳐진 지평선을 그들은 달린다. 대지는 침묵하고 있었다. 바람도 머물러 있었다. 몇 점의 흰 구름덩이도 줄에 매달린 연처럼 떠 있었다. 흐르는 시간마저 멈췄다. 시간이 존재하지 않는 흑화의 땅이다.

대우주와 영원히 존재하는 것, 그것은 향유할 수도 있고 버릴 수도 있다. 유 · 무식과 빈부의 차이도 두지 않는 아주 공평한 그것은, 천사나 악마에게도 필요한 존재로 흐르고 있다. 그것은 밀폐된 공간내부에서도, 광활한 대지에서도 존재한다. 흐르는 물은 가둘 수 있지만 영원히 갇혀지지 않는 것, 그것은 시간을 말한다. 찰나의 순간에도 시간은 실체처럼 존재하고 흐르고 있다. 그러나 형상도 없이 존재하면서도 흐르지 않고 시간이 멈춘 끝없는 대지를 그들은 달렸다.

"달리고 달려도 이렇게 멋진 지평선이에요. 푸른 융단 한장이 덮여있는 것 같잖아요. 여기서 머물기로 해요. 배도 고프실텐데……."

엥흐자르갈이 말고삐를 당기며 말했다. 그들은 말에서 내렸다. 유목민의 게르하나 보이지 않는, 길 잃은 양한 마리도 눈에 띄지 않는, 두 연인의 몸을 가릴 수 있는 구릉하나 없는 흑화의 땅 중심이다. 그들은 텐트를 쳤다.

그녀는 수태채를 먼저 대지에 뿌렸다. 둘의 안전을 자연에게 맏기는 경배다. 그녀는 더 없는 행복감에 빠진다. 엥흐자르갈은 텐트 앞에 그에게 지난겨울 입혀주었던 아버지의 푸른빛깔이 돋는 오래된 델을 배낭에서 꺼내어 담요대용으로 바닥에 펼치며 말했다.

"침낭이 있지만 그래도 밤에 추울지 몰라 주무실 때 덮도록 가져왔어요."

아무것도 움직이지 않고 잠자는 대지, 정지된 시간 속에 움직이는 것은 두필의 말과 오직 그들 둘뿐이다. 자리가 펴지자 누가 먼저라 할 수 없이 그들은 하얀 알몸으로 사랑을 노래 부른다. 상 · 하로 뒹굴며 서로를 애무한다. 그녀의 6천 뼈마디가 무너져 내린다. 뜨겁게 달구어진 그녀의 깊은 몸속으로 그의 몸체가 파고든다.

"아……!"

갈수록 격해지는 꽃불 춤, 장단없이 두드리는 흑무당들의 원시적 꽃불 춤 같은, 너울춤사위에 폭발하는 격정의 신음소리, 그녀의 신음소리는 발정난 암말의 신음소리와 조금도 다르지 않았다. 그들은 극도의 발정에 오른 한 쌍의 야생마다. 유목민들은 고대부터 시간도 멈춘 대지의 초원들녘에서 야생마처럼 이렇게 사랑을 나누었으리라……,

오늘도 내일도, 한 쌍의 야생마유희는 계속된다. 서로의 몸이 능선물결처럼 출렁인다. 격정을 견디다 못한 엥흐자르갈이 그의 두 팔을 잡고 무엇을 본 듯 상체를 일으켜 먼 하늘을 바라보며 암말처럼 격정의 소리를 내질렀다.

"솔롱고 -, 솔롱고-. "

후의 끝에 엉킨 다리를 풀며 그가 묻는다.

"솔롱고?"

하고 묻자 그녀가 팔베개를 하며 말했다.

"네, 아까 무지개가 피었다 사라졌어요."

"비도 오지 않는 걸……."

"저쪽 하늘에 안개비가 뿌렸나 봐요. 몽골의 겨울 눈은 건조한 대기여서 함박눈이 없는 가루눈발이잖아요. 여름비 또한 소나기는 없어요. 초원의 풀이 적셔질 여유도 없이 안개처럼 잠깐 뿌리고 사라지면 그만이에요. 그때 무지개가 피는 거죠."

무지개를 본 엥흐자르갈은 필시 집안을 이어갈 수 있는 그의 아이를 가질 거라고 굳게 믿는다. 사내가 아니라는 이유로 엥흐자르갈에게 목축상속을 꺼리는 조부에게, 사랑하는 그로부터 이렇게 씨앗을 받아 사내아이를 낳고, 떳떳하게 조부의 목축재산을 아들 앞으로 상속받고 싶었다. 그거 하나 때문에 조부의 눈치를 보며 살아온 어머니의 소원이다.

"저깅(Зөгийн/당신께)……, 드릴말씀이 있어요."

엥흐자르갈이 자연스럽게 당신이라 부르며 촉촉해진 머루 눈빛으로 말했다.

"무슨 말인지 해봐요."

"전, 이제 조부의 목축을 상속받을 당신의 아이를 꼭 낳을 거예요. 꼭 사내아이를 낳아 떳떳하게 목축을 상속받고 말 거예요. 그리고……."

"그리고?"

"네, 그리고 아이의 이름은 솔롱고(무지개)라 부를 거예요."

"무지개?"

"네, 아까 말씀드렸지만 당신을 느낄 때 무지개가 피었거든요. 몽골은 자연에 비유하고 어떤 연유에 의해 이름을 짓거든요."

안구조리개가 특별하지 않는 한, 시야에 전부 들어올 수 없는 드넓은 대지, 아름다운 흑화의 땅 초록융단위에서 그들은 며칠 동안이나 한 쌍의 하얀 야생마가 되어, 은하수 별빛 속을 떠다니며 야영의 밤을 사랑으로 만끽했다.

무지개,……,

엥흐자르갈은 장천하늘에 피었다 사라진 무지개를 잊을 수 없었다. 비가 잦지 않은 초원하늘에서 무지개를 본다는 것은 보기 드문 일이다.

8

서막

흑화의 땅에서 돌아온 그들은 연구실에서 그동안의 모든 자료정리를 말끔히 끝냈다. 그리고 그녀와 조부의 유목지로 들어갔다. 모친은 그녀의 새로운 게르를 따로 세워놓고, 새가구를 들여놓았다. 그것을 본 엥흐자르갈과 그는 놀랄 수밖에 없었다.

모친은 그들이 신혼여행처럼 떠나게 되고 그의 씨앗을 받을 거라는 그녀의 말에 확신을 가지고 둘의 신방게르를 세우고 새롭고 완벽한 살림을 들여놓았다. 게르에는 세 개의 침대가 마련되어있었다. 이를테면 중앙 화려한 침대는 그의 침대다. 양편 두 개의 침대는 엥흐자르갈과 앞으로 태어나게 될 솔롱고의 침대였다. 이렇게 사태가 확장되자 조부와 어머니는 형식은 갖추어야 한다며 요약된 둘의 혼례식을 치루어 주었다.

혼례를 치룬 그날 밤, 대지는 초원의 싱그러운 풀냄새와 가축들의 마른 배설물향기로 가득했다.

별무리 속에 은하수가 맑게 흘렀다. 교교한 밤바다 별 소나기 속에 게르 천창 동그란 환풍구로 스며들어온 달빛에 비친 그녀의 머루눈빛은 아름답게 별처럼 빛났다.

대지와 하늘이 하나가 되었다. 그들도 하나가 되었다. 그는 엥흐자르갈의 가슴위에서 끝없는 구릉언덕을 넘고 넘듯 오래도록 출렁였다. 격정의 순간이 오자 꽃 멀미를 느낀 그녀는 몸서리치는 신음으로 그의 알몸을 힘껏 안았다. 그의 가슴에 흐르는 땀을 수건으로 눌러 닦으며 그녀가 말했다.

"사랑해요. 이제 몽골을 떠나셔도, 다시 돌아오시지 않아도, 저는 당신을 사랑할 거예요. 언젠가 이흐 타미르 강변에서 말씀드렸죠! 아무것도 전제하지 않는다고, 다만 진실하게 사랑할 뿐이라고, 공항에는 나가지 않을래요. 눈물을 보이고 싶지 않아요."

고비의 자연이 아무것도 전제하지 않는 무한대의 관용으로 초지를 제공하고 자연생태를 지켜주듯, 엥흐자르갈은 처음부터 무한대의 사랑을 그에게 주었다.

그녀가 다시 말했다.

"그동안 고마웠어요. 비록 구르반사이항 아르갈리산양동

굴에 새겼다는 돌그림을 찾지 못했지만 제가 궁금했던 우리조상의 전설은 모두 정리되었어요. 그리고 먼 조상의 영웅사가 담겨있는 비문에 속하는 양피지탁본도 조부께서 물려주셨어요. 그것보다 더 중요한 것은 조부님께서 목축을 상속받을 아들이 없다는 것을 늘 걱정하셨는데, 그 커다란 문제를 당신은 해결해 주셨어요. 늦은 출산에 걱정은 되지만 저는 이제 당신의 아들을 낳을 테니까요. 꼭 아들을 낳아서 조부님의 목축재산을 떳떳하게 상속받을 거예요. 저 많은 말떼와 소떼들, 그리고 양떼와 낙타, 엥흐자르갈이라고 지어진 저의 이름 뜻은 '처음 행복.' 이예요. 그러니까 당신은 저에게 처음행복인 셈이지요. 아- 사랑해요."

싱그러운 고원의 아침이다. 푸른초원의 자작나무숲사이로 강물이 맑게 흐른다. 200두 가까운 말떼를 초원으로 내모는 일은 조부를 도와 그녀와 함께 나서야 했다. 조부의 목축에 뛰어든 그녀의 공식직업은 이제 목자다.

"오늘은 강 건너 초원으로 말떼를 몰아야 해요. 좌측으로 가셔서 몰아주세요."

"알았어요."

세차게 말을 몰아 좌편에 떨어져있는 말한 마리를 무리안쪽으로 몰았다. 선봉마를 따라 말떼는 장관을 이루며 강을 건너기 시작했다. 후미를 맡은 조부가 한 필의 종마가 대열 밖으로 튀어나가자 긴 장대를 휘저으며 세차게 뒤쫓았다. 잠시 후 방향을 틀어 초원으로 멋대로 뛰는 그 종마는 장대 끝 올가 줄에 걸렸다.

강 건너 초원으로 말떼들을 방목한 뒤, 다시 강을 건너 되돌아오는데 족히 세 시간이 걸렸다. 안장 끈을 조여 매며 그녀가 말했다.

"모레 밤비행기를 타시려면 준비도 하셔야 하고, 울란바타르에 가셔야지요. 큰길 간이 버스정류장으로 시간 맞춰 가셔야 해요. 그곳까지 함께 갈게요."

그녀는 힘없이 다시 말했다.

"달리지 말아요. 말을 빠르게 몰면 같이할 시간이 부족해요."

그녀는 닥쳐온 이별을 무척 아쉬워하며 우울해했다. 아침에 몰았던 말들이 물비늘빛 반짝이는 강물 저편에서 평화롭게 풀을 뜯고 있었다. 살속을 파고드는 파리떼에 견디지 못한 말한 마리가 모래 둔덕에서 뒹굴고 있었다.

자작나무숲에 다다르자 그들은 말에서 내렸다. 그녀는 말고삐를 서로 묶은 뒤 말사이로 그를 잡아끌고 와락 안았다. 까만 머루눈동자가 이슬에 젖어있었다.

부서져 내릴 것 같은 가냘픈 목소리로 애원하듯 그녀는 말했다.

"사랑해요. 사랑해요……, 이렇게 헤어지고 싶지 않아요. 그동안 당신에게 우리가문의 속살을 모두 보여줬어요. 그런 만큼 당신은 떠나시지만 언제까지라도 우리가족이며 제가 앞으로 낳게 될 아이, 솔롱고 아빠예요. 당신침대는 물론 우리 세가족침대가 모두 마련되어있잖아요. 당신이 다시 돌아온다면 더없이 좋지만 어머님이 마련해주신 살림은 꼭 지킬거예요. 그리고 당신의 아들 솔롱고를 출산하면 그것만큼은 솜으로 나가 전화나 메일로 꼭 알려드릴게요."

뜨겁게 흐르는 그녀의 이슬을 닦아주며 그는 짙은 키스로 마지막 그녀의 체온을 느꼈다. 그가 타고 왔던 말고삐를 잡고 그의 모습이 사라질 때까지 엥흐자르갈은 슬픈 모습으로 초원에 서 있었다.

연구실창가에는 그녀가 가꾸던 여러 개의 화분에 만개했던 빨갛고 하얀 꽃들이 시들어있었다. 하지만, 열린 창문으로 그녀가 보낸 꽃향기가 흘러들어왔다. 그녀의 냄새 같은 꽃향기 속에서 그는 책상을 정리했다. 그리고 숙소로 돌아와 짐을 꾸렸다. 이제 곧 칭기즈 칸 국제공항으로 몸을 옮기면 몽골 땅을 떠난다.

9

무지개

이듬해, 태양은 잔설을 거두어가고 갈색 톤의 대지는 초록기운이 감돌고 있었다. 몽골의 봄은 가축들에게는 힘겨운 고난의 봄이다. 그러나 새끼를 치는 때이기도 했다.

갓 태어난 망아지가 불안스런 회똑걸음으로 어미 말 꽁무니 뒤쫓기가 바쁘다. 봄이라지만 영하의 밤기온에 난롯불을 피운 게르에 넣어뒀던 새끼양들을 안고 나와 어미 양을 찾아 젖을 먹이기에 바쁜 계절이다. 새끼양들에게 젖을 먹이면 양들은 초원으로 나간다. 새끼양들은 내보내지 않는다. 어미양 꽁무니를 따라가다가 뒤처지면 늑대밥이 되기 십상이다.

엥흐자르갈의 왕산만한 배는 새끼를 밴 어느 가축과도 다를 바 없었다. 산달이어서 여간 조심해야 했다. 하필 그날따라 건강하던 조부가 며칠 동안을 몹시 앓더니 이른 아침 인근 솜으로 의원을 찾아갔던 날이다. 엥흐자르갈은 어머니와 가축들을 초원으로 내몰아야 했다.

걱정 꽃이 핀 표정으로 어머니가 일렀다.

"천천히 말을 몰아라. 뱃속에 아기가 돌까 무섭다."

엥흐자르갈은 여간 조심하지 않았다. 그러나 가벼운 충격에도 뱃속의 아이가 돌았던지 통증이 느껴지기 시작했다.

"어머니, 조금씩 배가 아파요."

"그래? 산통이구나. 빨리 돌아가자꾸나."

그들은 되돌아 말을 몰았다. 배앓이 간격이 좁아지기 시작했다. 통증을 참는 그녀의 이마에 땀이 흐른다. 가까스로 말에서 내린 그녀는 자궁으로 밀려내리는 압력과 살이 찢어지는 통증을 참을 수 없었다. 게르를 동여맨 라이자를 붙잡고 주저앉아버렸다. 어머니는 겉옷을 벗어 얼른 바닥에 펼치고 그녀를 눕혔다.

"자, 양손으로 이 끈을 잡고 힘을 써라."

게르 끈을 붙잡고 힘을 쓴다. 부산해진 어머니는 안으로 들어가 물솥단지에 왕가위를 넣고 난로에 불을 지폈다.

사태는 급진전 되었다. 양수가 터져 흘렀고, 자궁구가 열렸다. 그녀의 신음소리가 초원을 울렸다. 어머니는 뜨거운 물솥에 삶아서 소독이 된 왕가위와 굵은 실과 바람이 통하는 고무호스를 그녀 옆에 놓았다. 따듯한 물 대야도 가져다 놓았다. 왕가위는 탯줄을 자를 때 쓴다.

노산에 순산을 기대하는 것은 무리겠지만, 장차 대를 이어갈 사내아이가 아닐지 몰라, 그녀는 그것이 더 큰 걱정이 되었다. 고통스럽게 힘쓰는 소리가 고조되고, 터진 양수가 범벅된 태아의 머리가 비쳤다.

산모의 두 무릎을 버티고 잡은 어머니가 다그쳤다.

"자! 좀 더, 힘을 써라. 아기머리가 비친다."

최상의 힘을 썼다. 힘을 줄 때마다 잔뜩 웅크린 태아는 자궁으로 밀려나왔다. 그러나 지친 그녀는 더 이상 힘을 쓰지 못했다. 태아가 위험하다. 사산위기다. 그녀의 목숨도 보장할 수 없었다. 태아의 머리를 손으로 받치고 있던 어머니가 조급히 소리쳤다.

"좀 더, 힘을 써라. 엥흐자르갈, 엥흐자르갈."

그러나 그녀의 의식은 희미하다. 어머니의 외침도 구릉 너머 낙타울음소리처럼 가늘게 들린다.

"엥흐자르갈, 엥흐자르갈."

의식을 잃은 그녀를 흔들며 놀란 어머니가 소리치지만 반응이 없다. 하지만,

"엥흐자르갈, 한번만 더!"

하고 외친 소리는 그이의 일성이었다. 일순 그이의 얼굴이 영상처럼 스쳐갔다. 흑화의 땅, 초록융단위에서 꼭 아

들을 낳아 조부의 목축재산을 떳떳하게 상속받겠다고 다짐했던 일들이 영상으로 재생되었다. 그녀는 이를 앙다물고 눈을 떴다. 초원하늘을 휘가르는 무지개가 한순간에 피었다. 무지개를 본 그녀는 최후의 일성으로 소리쳤다.

"솔- 롱- 고-."

그녀의 일성이 애절하다. 가까스로 태아가 자궁을 빠져나오고 최후의 일성 끝에 그녀는 정신을 잃었다. 태아는 울음이 터지지 않았다. 태아를 받아낸 어머니이마에 땀이 흘렀다. 긴장한 어머니는 태아의 두 발목을 거꾸로 잡고 엉덩이를 때렸지만 그래도 울음을 터트리지 않았다.

창백한 얼굴로 고무호스를 태아의 코에 밀어넣고 훅-, 입으로 바람을 불어넣은 뒤에야 툭, 터진 우렁찬 울음소리가 대지를 울렸다. 태아의 성(性)을 뒤늦게 확인한 어머니는 그녀를 흔들며 소리쳤다.

"사내다. 사내, 엥흐자르갈, 네가 우리 집안 대를 이을 아들을 낳았구나."

아기우는 소리에 가까스로 눈을 뜬 그녀가 아이를 바라보았다. 사물이 보이지 않을 정도로 머루눈동자에 그렁그렁 눈물이 맺혔다.

그녀는 주름진 어머니의 손을 부여잡았다. 사내를 들여 목축을 상속받고 대를 이어갈 아들하나 둘 생각을 하지 않는다는 조부의 핀잔에 눈칫밥을 먹고 살아온 어머니였다.

양수로 칠갑된 아기를 싯긴 어머니는 탯줄을 자르고 그녀를 부축하여 게르침대에 눕히고 배넷 델을 입혀 아기보에 감싼 아기를 그녀의 곁에 눕혀주었다. 그리고 태반을 봉지에 담아 삼불까지 마쳤다. 긴장이 풀린 그녀가 마디숨을 쉬며 웃는 얼굴로 아기를 바라본다.

"부에, 부에, 부에, 온타래, 온타래, 온타래-.[1]"

엥흐자르갈이 자장가를 부르며 아기를 재운다. 그녀가 조부의 목축지로 들어온 것은 목축을 도와야 할 형편이기도 했지만, 목축재산을 아들 솔롱고에게 떳떳하게 상속받으려는 욕심이 더 컷다. 엥흐자르갈은 이제 그 문제를 해결했다. 고대유목민들은 대를 이어갈 방책의 하나로 자녀가 남자나 여자친구를 데려오면 자연스럽게 한 게르 안에서 잠을 재웠다. 그들에게는 예부터 내려오는 전통이다.

---

1)부에,온타래/вYYвзз, уны талээ : 뜻없이 부르는 자장가

"부에, 부에, 부에. 온타래, 온타래, 온타래."

솔롱고는 엄마의 자장가소리에 젖을 물고 잠이 든다. 그녀가 살포시 아기를 눕히며 중얼거렸다.

"솔롱고, 빨리 자라서 조부님의 목축재산을 상속 받거라."

산후회복이 되자 엥흐자르갈은 아이를 업은 몸으로 새벽길 말을 타고 먼 곳에 있는 솜으로 나갔다. 통신소를 찾아가 국제전화를 신청했지만 신청을 해놓고 며칠을 기다려야 한다고 했다. 할 수 없이 통신소아가씨의 업무용 컴퓨터로 그이에게 이메일은 겨우 띠울 수 있었다. 이런 오지에서 헨드폰은 필요 없는 물건이다.

솔롱고는 병치레 한번 하지않고 건강하게 자랐다. 그녀는 애초부터 남자를 들여 아들하나 낳아 집안의 대를 이어갈 생각조차 하지않는다는 조부의 눈칫밥에, 그이의 씨앗을 받은것만으로 만족하고 모계사회본능으로 그이상의 욕심은 체념했지만, 커 갈수록 아빠의 얼굴을 빼닮아가는 솔롱고를 볼 때마다, 마음 그릇에 가득 차 넘치는 그리움을 견딜 수 없었다.

〈하권에 계속〉

에필로그/epilogue

에필로그/epilogue

작가의 입장에서, 창작에만 몰두할 수 있는 식생활이 보장된 몽골생활은 아마 가장 행복했던 일로 기억된다. 울란바타르대학에서 주어진 학과강의와. 한국문화예술위원회에서 연구교수로 파견하면서 과제로 준 월1회의 문학특강, 그리고 집필활동에만 몰입할 수 있는 여건은 더없는 즐거움이 아닐 수 없었다.

학과강의와 특강일정을 조정해가며, 나는 처성자옥(妻城子獄)을 벗어나 대자유하게 창작에만 몰입할 수 있었기 때문에, 집필중인 서사관련지역을 찾아다니며 몽골대초원을 마음껏 누빌 수 있었다. 어워르항가이 바트얼지 유목민게르에서 생활하면서, 인근 선 돌지역 탐사를 필두로 집필중 또다른 관련지역이 대두되면 어김없이 배낭을 매고 그곳으로 향했다. 이러한 과정 속에 영하 38도부터 영하 40도 추위도 견뎠다.

3월 봄, 아르항가이 체체를랙 이흐 타미르 강변 선 돌 군락을 탐사하면서, 코디네이터와 그곳 유목민게르에서 유숙할 때, 영하로 계속 내려가는 밤 추위에 여벌로 가져간 옷을 몽땅 껴입고도 추위를 견디지 못하자, 그것이 웃음거리가 되었다.

그들은 펜티바람으로 우리의 한복 마고자 같은 델 한장을 덮고 바닥에서 잠을 잘 만큼 강했다. 유목민들은 무지개의 나라(솔롱고스/СОЛОНГОС)로 한국을 지칭하며 몽골반점으로 같은 민족으로 여긴다. 『무지개』 하권까지 마칠 때까지 신세졌던 오지초원유목민들과 힘을 준 몽골문학연맹 친구들에게 감사의 글을 띄운다.

인용몽골어

텡게르/тэнгэр : 하늘. 30

гэр/게르 : 몽골전전통가옥. 19

сYYтэйчай /수태채 : 우유에 차 잎을 함께 우린 우유차. 19

Тулга/토륵 : 무쇠난로. 19

наадам/나담 : 몽골 전통축제. 24

Туг/톡그 : 종마의 갈기나 꼬리털로 만든 기(旗)로 흉노시대부터 국가의 수호기로 만들어 사용해왔다. 아홉개의 깃대를가진 수호기는 국가의 신성함과 번영과 성장을 상징한다. 27

Хөөөрг/허어륵 :미세한 담배라루가 들어있는 코담배 병으로 손님과 서로 주고 받는 데 쓰인다. 38

Сайн байна уу/셈베이노오 : 안녕하세요. 45

сургууль/소르골 : 대학. 45

Багш/박쉬 : 선생. 45

Тийм шYY/팀슈 : 그래요. 45

ХурээганМалгай/호르강말가이 : 새끼양털로 만든 전통모자. 45

гутал/고탈 : 양털 내피의 목이 긴 신발. 48

чуибан/초이방 : 양고와 칼국수를 기름에 볶은 음식. 62

Бууз/보쯔 : 우리의 만두와 같은 음식. 62

Цагаан сар/차강사르: 음력 1월 1일, 우리의 설날과 같은 몽골의 설날. 71

Дэл/델 : 우리의 한복 마고자 같은 몽골전통의상. 79

бYC/부스 : 델을 입고 허리에 두르는 천. 81

битYYн/비퉁 : 몽골 설 전날.(우리의 섣달 그믐). 93

битYYлэг/비투릭 : 설 전날 먹는 음식. 93

цаган идээ/차강이데 : 하얀 음식. 94

боов/버브 : 사탕 등 과자류. 94

домбо/덤버 : 구리주전자. 96

овоо/어워 : 우리의 성황당과 같은 몽골의 자연 신앙물. 118

сартос/샤르터스 : 하얀 버터. 119

хадаг/하닥 : 오방색 비단 천. 119

Хайртай шYY/하이르타이 슈 : 사랑해요. 120

ХYн биш/훙비슈 : 사람이 아니다. 123

Жаахан хYY/짜앙 후 : 작은 꼬마. 123

тарагБудаа/타라끄보따 : 야구르트에 쌀을 넣어 가공한 음식. 192

цYY— цYY/츄-츄 : 말모는 소리. 218

Сайн байцгаана уу/사인바이차가나오 : 여보시오. 279

Ус/오스 : 물. 286

Зөгийн/저깅 : 당신. 306

вYYвзз, вYYвзз, уныталээ, уныталэ/부에,부에,온타래,온타래. : 뜻없이 부르는 자장가. 323

〈참고문헌 및 자료출처〉

* 「돌에 새긴 유목민의 삶과 꿈」「Чулуунд сийлсэн эртний Нүүдэлчдийн амь драп」「Бопон Оюуны сэтгэлгээ」몽골과학아카데미고고학연구소

* 「자르갈란트의 사슴 돌」「жаргалантын амны буган хөшөөд」
2011, 2,27. ISBN 978-99962-845-8-8 몽골문화유산협회.

* 「몽골인의 생활과 풍속」 이안나 저/울란바타르대학출판부

* 「솔롱고」 본지 저자/울란바타르대학종신객원교수

김한창 장편소설

몽골 대서사시, 칭기즈 칸의 제국
전설의 암각화

무지개 (上 권)<솔롱고증보판>

발행일 증보 1쇄 발행 2020년 5월20일

지은이 김한창
펴낸곳 도서출판 바밀리온
주 소 전주시 덕진구 가리내 6길 10-5 클래시 302호
전 화 (063)253-2405
팩 스 (063)255-2405
이메일 kumdam2001@hanmail.net
인 쇄 새한문화사
주 소 (10881)경기도 파주시 광인사길 211-2
전 화 031-955-7121 FAX.031-955-7124

등 록 제2017-000023
I S B N 979-11-90750-01-1
정 가 : 19,000원

이 도서의 국립중앙도서관 출판예정도서목록(CIP)은 서지정보유통지원시스템 홈페이지(http://seoji.nl.go.kr)와 국가자료종합목록 구축시스템(http://kolis-net.nl.go.kr)에서 이용하실 수 있습니다.
(CIP제어번호 : CIP2020011792)

이 책은 전라북도 문화관광재단의 지원으로 발간되었습니다.